P9-CSA-909

LA FACE CACHÉE
DE LA LUNE

Du même auteur :

La trilogie des dragons, en coll. avec Marie Brassard, Jean Casault, Lorraine Côté, Marie Gignac et Marie Michaud, Québec, L'instant même/Ex Machina, 2005.

Le projet Andersen, Québec, L'instant même/Ex Machina, 2007.

Chez le même éditeur :

Ludovic Fouquet, *Robert Lepage : l'horizon en images,* essai, 2005.

Patrick Caux et Bernard Gilbert, *Ex Machina : chantiers d'écriture scénique,* essai, en coédition avec Le Septentrion, 2007.

Bernard Gilbert, *Le* Ring *de Robert Lepage : une aventure scénique au Metropolitan Opera,* essai documentaire, 2013.

LA FACE CACHÉE DE LA LUNE

Robert Lepage

préface d'André Brassard

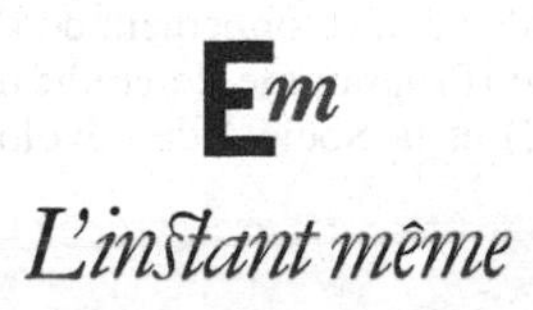

Maquette de la couverture : Anne-Marie Jacques
Illustration de la couverture : Christian Irles pour Studio Ex-Centris Inc. 2003
Photocomposition : Richard Ouellette
Chargée de projet - édition (Ex Machina) : Ève-Alexandra St-Laurent

Distribution pour le Québec : Diffusion Dimedia
539, boulevard Lebeau
Montréal (Québec) H4N 1S2

Distribution pour la France : Distribution du Nouveau Monde

L'instant même
865, avenue Moncton
Québec (Québec) G1S 2Y4
info@instantmeme.com
www.instantmeme.com

Dépôt légal – Bibliothèque et Archives nationales du Québec, 2007

Catalogage avant publication de Bibliothèque et Archives nationales du Québec et Bibliothèque et Archives Canada

Lepage, Robert, 1957-

La face cachée de la lune

(L'instant scène)
Pièce de théâtre.
Publ. en collab. avec: Ex Machina.

ISBN 978-2-89502-244-2

I. Ex Machina (Compagnie théâtrale). II. Titre. III. Collection: Instant scène.

PS8573.E62F32 2007 C842'.54 C2007-940920-2
PS9573.E62F32 2007

L'instant même remercie le Conseil des Arts du Canada, le gouvernement du Canada (Programme d'aide au développement de l'industrie de l'édition), le gouvernement du Québec (Programme de crédit d'impôt pour l'édition de livres – Gestion SODEC) et la Société de développement des entreprises culturelles du Québec.

Préface

cher Robert,

notre culture regorge de contes et de légendes qui nous montrent
la curiosité punie
qu'il s'agisse d'Adam et Ève
de l'épouse de Barbe-Bleue
de la boîte de Pandore
ou de Michey Mouse dans *Fantasia*

il semble que vouloir en savoir plus est un péché

toi,
ou tu n'as pas lu ces histoires
ou tu ne les a pas crues

ton imagination et ta curiosité t'ont fait ouvrir cette grosse boîte
(qui nous a fait – aux gens de ma génération –, je l'avoue, très peur)
tu as pris à bras-le-corps tous ces moyens que t'offrait la technologie
et tu les as domptés
tu les as mis au service de ton Art, de ta sensibilité, de ta Création

la recherche n'a sans doute pas été facile
tu as peut-être trébuché à quelques occasions

(ce qui nous confortait dans la condescendance que nous avons éprouvée pour les «bébelles à Lepage»)

mais, mon grand tabarnouche de génie, tu as réussi, tu nous a eus
tu m'as ému, émerveillé, réveillé même

et c'est pour ça que je te tire mon chapeau bien bas

le TEXTE que j'ai entre les mains ne me fera jamais oublier le spectacle
tes prouesses d'acteur, de décorateur, de magicien
mais il témoigne néanmoins d'une pensée, d'une quête
d'une tentative de comprendre l'Humanité, sa place dans l'Univers
son rapport avec ses semblables, parfois si différents

je crois que la seule chose qui nous soit commune, à nous tous, c'est justement la différence

il ne me reste qu'à souhaiter que ce texte circule
et qu'un jour, un autre fou souhaite le remonter à sa façon
juste à partir des mots

je te salue avec toute l'admiration, le respect, et la tendresse que j'ai pour toi

André Brassard

p.s. y faudrait bien qu'on finisse par faire de quoi, ensemble...

La face cachée de la lune a été présentée pour la première fois au Théâtre du Trident, à Québec, le 29 février 2000.

Conception et mise en scène :	Robert Lepage
Interprétation :	Robert Lepage ou Yves Jacques
Consultant à l'écriture :	Adam Nashman
Collaboration artistique et idée originale :	Peder Bjurman
Assistance à la mise en scène :	Pierre-Philippe Guay
Composition et enregistrement de la musique :	Laurie Anderson
Assistance à la scénographie :	Marie-Claude Pelletier
Assistance à la conception des éclairages :	Bernard White
Conception des costumes :	Marie-Chantale Vaillancourt
Conception des marionnettes :	Pierre Robitaille, Sylvie Courbron
Manipulations :	Pierre Bernier ou Éric Leblanc ou Marco Poulin
Consultant scénographique :	Carl Fillion
Réalisation des images :	Jacques Collin, Véronique Couturier
Montage sonore :	Jean-Sébastien Côté
Agente du metteur en scène :	Lynda Beaulieu
Direction de production :	Louise Roussel
Adjointe à la production :	Marie-Pierre Gagné
Direction de tournée :	Caroline Dufresne Tammy Lee Louise Roussel
Coordination technique :	Michel Gosselin
Direction technique :	Dany Beaudoin
Direction technique (tournée) :	Paul Bourque Serge Côté Patrick Durnin Marc Provencher
Régie générale :	Martin Genois Nicolas Marois
Régie des éclairages :	Richard Côté Nicolas Descôteaux Marc Tétreault

Régie son : Jocelyn Bouchard
Jean-Sébastien Côté
Tristan McKenzie

Régie vidéo : Francis Leclerc
Steve Montambault
Gil Lapointe

Régie des costumes et accessoires : Nadia Bellefeuille
Catherine Chagnon
Isabel Poulin

Chef machiniste : Paul Bourque
Éric Michaud
Mathieu Thébaudeau

Machiniste : Emmanuelle Nappert

Construction du décor : Les Conceptions Visuelles Jean-Marc Cyr

Voix des animateurs : Bertrand Alain, Lorraine Côté
Normand Bissonnette, Martine Rochon (version anglaise)

Musique additionnelle : Beethoven
John Coltrane
Led Zeppelin

Images soviétiques de l'espace : Ultimax Group, Inc.

Production : Ex Machina

En coproduction avec : Aarhus Festuge, Aarhus
Bergen Internasjionale Festival, Bergen
Berliner Festspiele, Berlin
BITE:03, Barbican, London
Bonlieu Scène Nationale, Annecy
Cal Performances, University of California at Berkeley
Change Performing Arts, Milan
Cultural Industry Ltd., Londres
Deutsches Schauspielhaus, Hambourg
Dublin Theatre Festival
Espace Malraux Scène Nationale Chambéry-Savoie, Chambéry
Festival de Otoño, Madrid
FIDENA, Bochum
Göteborg Dans & Teater Festival, Göteborg
Harbourfront Centre, Toronto
La Coursive, La Rochelle
Le Manège Scène Nationale, Maubeuge
Le Théâtre du Trident, Québec
Le Volcan Maison de la Culture, Le Havre
Les Cultures du Travail – Forbach 2000, Forbach

Le Maillon – Théâtre de Strasbourg, Strasbourg
Les Célestins, Théâtre de Lyon
Maison des Arts, Créteil
Northern Stage at Newcastle Playhouse, Newcastle
Pilar de Yzaguirre – Ysarca, Madrid
Schauspielhaus Zurich
Setagaya Public Theater, Tokyo
Steirischer Herbst, Graz
Théâtre de Namur, Namur
Teatro Nacional São João, Porto
Théâtre d'Angoulême, Scène Nationale, Angoulême
The Henson International Festival of Puppet Theater, New York
The Irvine Barclay Operating Company, Irvine
The Royal National Theatre, Londres
The Sydney Festival, Sydney
TNT – Théâtre National de Toulouse, Toulouse
Tramway Dark Lights, Glasgow
UC Davis Presents, Davis

Producteur délégué, Europe, Japon : Richard Castelli
Producteur délégué, Royaume-Uni : Michael Morris
Producteur délégué, Amériques, Asie (sauf Japon), Océanie, NZ : Menno Plukker
Producteur pour Ex Machina : Michel Bernatchez

Ex Machina est subventionnée par le Conseil des Arts du Canada, le ministère des Affaires extérieures et du Commerce international du Canada, le Conseil des Arts et des Lettres du Québec, le ministère de la Culture et des Communications du Québec et la Ville de Québec.
La création de ce spectacle a été soutenue par le Fonds du nouveau millénaire pour les arts du Conseil des Arts du Canada.

Texte établi pour l'édition par Marie Gignac, Nicolas Marois, Martin Genois et Ève-Alexandra St-Laurent.

Les photographies sont tirées de la création sur scène de la pièce (interprète : Robert Lepage), de la reprise de la pièce par Yves Jacques, et du film réalisé en 2003 par Robert Lepage.

Les lecteurs sont invités à considérer le texte comme les spectateurs voyaient le spectacle, notamment en ce qui a trait à l'entrée des personnages, interprétés par un comédien unique. Aussi leur apparition ou leur transformation sur scène précède-t-elle parfois leur identification. L'interlignage accru au sein d'une même réplique indique une brève pause.

Le dispositif scénique sur trois scènes différentes. Esquisse de l'auteur. © Archives Robert Lepage

Le dispositif scénique est composé d'un mur pivotant, fait d'une douzaine de panneaux rectangulaires dont une des surfaces est réfléchissante, ainsi que d'un autre mur fait d'une quinzaine de panneaux également rectangulaires, recouverts d'ardoise, indépendants les uns des autres et installés sur un rail à la manière de rideaux. Un de ces panneaux comporte une ouverture sur laquelle est fixé un hublot de machine à laver à chargement frontal. Les deux murs couvrent toute l'ouverture de la scène.

Musique. Le dispositif bascule vers le haut, faisant apparaître le mur recouvert de miroirs.

Prologue

L'acteur est debout face aux miroirs, dos au public ; il s'adresse tantôt à sa propre réflexion, tantôt à celle des spectateurs.

Jusqu'à l'invention du télescope et aux premières observations de Galilée, le monde croyait que la Lune était un immense miroir et que les montagnes et les océans que l'on pouvait distinguer sur sa surface lumineuse n'étaient en fait que la réflexion de nos propres montagnes et de nos propres océans.

Beaucoup plus tard, au XXe siècle, quand la première sonde soviétique à faire le tour de la Lune nous renvoya des images de la face qui ne nous est jamais visible, le monde fut stupéfait de découvrir que la Lune possédait un deuxième visage, beaucoup plus marqué et blessé par les nombreuses collisions de météorites et les autres intempéries de l'espace ; même que certains scientifiques de la NASA se plaisaient à l'appeler « la face *défigurée* de la Lune ». Mais il est évident que cette ironie des Américains était due au fait que, dorénavant, il faudrait nommer tous les cratères qui parsèment la face cachée de la Lune par des noms de cosmonautes soviétiques, de visionnaires et de grands écrivains russes.

Il se tourne vers le public.

Robert Lepage – © Sophie Grenier

Le spectacle de ce soir s'inspire en quelque sorte de la compétition entre ces deux peuples pour raconter celle de deux frères cherchant continuellement dans le regard de l'autre un miroir pour y contempler leurs propres blessures, ainsi que leur propre vanité.

Le dispositif bascule à nouveau, découvrant l'intérieur d'une laverie automatique : quelques chaises alignées contre le mur d'ardoise, un grand sac à dos posé sur l'une d'elles, un panier à linge sur roulettes, une distributrice d'eau et, au mur, le hublot de la machine à laver. Philippe, dos au public, insère des vêtements dans la machine et ajoute du savon à lessive ; une image vidéo, légèrement grossie, vue de l'intérieur de l'appareil, est projetée sur le mur à sa droite. Il replace les vêtements, referme la porte, démarre l'appareil et s'assoit, face au public. Il feuillette un magazine. Projection vidéo de l'eau qui s'agite dans la machine ; le générique du spectacle défile sur le mur de l'autre côté. Après un moment, Philippe se lève, va

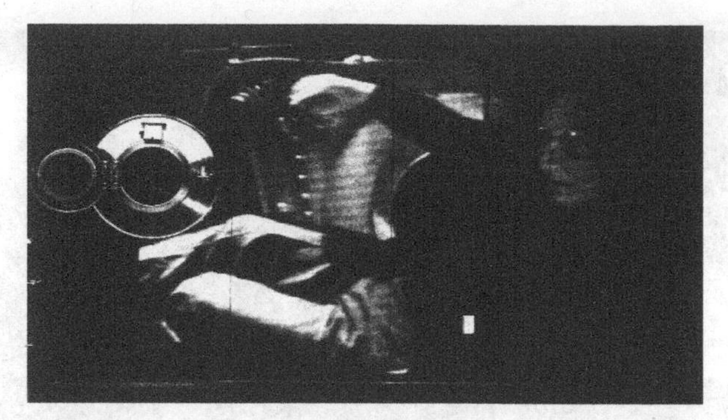

Robert Lepage – © Sophie Grenier

ouvrir la laveuse, passe sa tête à l'intérieur, puis y pénètre tout entier. Projection d'images vidéo de son corps en apesanteur.

Son et projection d'images d'archives de l'Agence spatiale russe du lancement du premier satellite orbital, et projection du surtitre : 1957, Spoutnik 1. Les Soviétiques lancent le premier satellite orbital.

Présentation de thèse

Projection du surtitre : Université Laval, Québec, 1999.
Philippe, vêtu d'une canadienne bleue, inscrit sur le mur à la craie : **Tsiolkovski 1857-1935**. *Puis il s'adresse au public.*

Bon après-midi. Merci d'être venus. Je sais qu'une tempête de neige fait rage à l'extérieur, alors j'apprécie grandement le fait que vous vous soyez déplacés en si grand nombre pour ma présentation de thèse. La théorie que je défendrai cet après-midi pour l'obtention de mon doctorat tentera de démontrer que les programmes d'exploration spatiale du XXe siècle ont été motivés non pas par la curiosité et la soif de savoir, mais bien par le narcissisme. Et pour faire la démonstration de cette théorie, je me référerai à l'œuvre du grand ingénieur russe Konstantin Tsiolkovski. Alors si vous allez à la page vingt-cinq du document que je vous ai fait parvenir la semaine dernière, vous y trouverez une photo de Tsiolkovski à l'âge de cinq ans.

Projection d'une photographie de Tsiolkovski enfant.

Évidemment, comme la plupart des gamins de son âge, il était fasciné par les contes pour enfants, mais il semble que, dès son jeune âge, il ait aussi manifesté un intérêt marqué pour les manuels d'ingénierie que possédait son père. Malheureusement, à l'âge de dix ans, Tsiolkovski a perdu l'ouïe, ce qui l'a amené à se replier sur lui-même, et il semble que ce serait justement cet enfermement et cette surdité qui auraient contribué à faire de lui un grand visionnaire.

C'est Tsiolkovski qui a mis au point la formule mathématique qui nous permet aujourd'hui de nous arracher à la force gravitationnelle de la terre.

Projection d'équations mathématiques manuscrites.

C'est également lui qui avait imaginé que le premier voyage dans l'espace se ferait à bord d'une fusée à combustion liquide ayant la propriété de se détacher en morceaux lors des diverses étapes de son ascension. Et, très conscient des dangers que pouvait représenter pour l'être humain une sortie dans l'espace, il avait conçu la première combinaison spatiale.

En 1895, alors qu'il visitait la tour Eiffel, à Paris, Tsiolkovski avait imaginé une structure assez haute pour dépasser la stratosphère et se rendre jusque dans l'espace.

Il dessine une tour Eiffel, puis un cercle surmonté d'une plus haute tour.

Cette structure serait munie d'un petit ascenseur qui permettrait de transporter la population civile jusque dans une galerie d'observation, au sommet de la tour qu'il avait baptisée « le château de l'espace ». Alors, on voit très clairement ici l'influence que certains contes pour enfants ont pu exercer sur son travail d'ingénieur. La seule chose qui empêche la construction d'une telle structure est le fait qu'il n'existe pas présentement sur terre de matériaux assez solides pour supporter une telle charge. Mais si cet obstacle venait à être contourné, on estime qu'il en coûterait aujourd'hui approximativement quarante dollars américains en électricité pour chaque ascension, comparativement aux quatre cents millions de dollars américains que coûte actuellement chaque lancement d'une navette spatiale.

Il inscrit les chiffres au tableau.

Yves Jacques – © Ramon SENERA Agence Bernand

Tsiolkovski est célèbre pour avoir dit: «La terre est le berceau de l'homme, mais l'homme ne va quand même pas passer toute son existence dans son berceau.»

Alors, sur ces bonnes paroles, j'aimerais maintenant procéder à l'argumentation principale de ma théorie.

Il dessine un rectangle contenant plusieurs cercles, puis appuie sur l'un d'eux. Son d'un ascenseur en marche. Les deux panneaux devant lui s'ouvrent latéralement. Philippe pénètre dans l'ascenseur, et les portes se referment sur lui.

Maison de retraite

Les panneaux coulissent et s'ouvrent sur un coin séjour: une fenêtre garnie d'un rideau, une petite table sur roulettes sur laquelle est posé un bocal où nage un poisson rouge, et, au fond, une grande étagère de métal noir garnie d'objets hétéroclites, parmi lesquels un petit téléviseur. Philippe est au téléphone, debout devant la fenêtre.

Oui, André? C'est Philippe. Où est-ce que t'étais?

C'est impossible, mon vieux, parce que je t'ai attendu pendant une demi-heure devant le *lavomat* pis tu t'es jamais présenté!

Non, je pouvais pas t'attendre plus longtemps, j'avais une présentation de thèse, moi, à l'université, à deux heures, cet après-midi.

Oui, c'est important, André.

Parce qu'on fait pas don à l'Armée du Salut de vêtements ayant appartenu à des personnes défuntes sans les avoir lavés au préalable. C'est une simple question de décence et de savoir-vivre !

Non, je suis pas chez moi, je suis chez maman, j'attends les déménageurs.

J'ai décidé de faire ça aujourd'hui parce que je veux pas que ça traîne pendant des semaines et pis je le sais que tu le feras pas, toi. Bon, est-ce qu'il y a des objets ou des meubles que tu voudrais garder en souvenir pis que tu veux pas que je déménage ?

Quelle étagère ? Tu veux dire la grosse étagère noire en métal qui était dans notre chambre quand on était petits ?

Oui, elle s'en servait encore. Mais si tu veux l'avoir, il faut que t'apportes un coffre à outils pis que tu la démontes parce que ça rentre pas dans l'ascenseur. Et pis il faut que tu viennes la chercher avant dimanche soir parce que je viens de parler au gérant, pis il faut qu'on ait vidé l'appartement au plus tard lundi matin, parce qu'ils ont déjà loué à une autre convalescente.

Oui, ben, qu'est-ce que tu veux que je te dise ?... Bon, écoute, quand veux-tu qu'on se voie pour le testament pis la signature des documents pis tout ça ?

Les panneaux coulissent dans l'autre sens, découvrant une partie du séjour où se trouvent un fauteuil roulant et un mannequin de couturière.

Non, je peux pas mercredi matin, je passe toute la journée à Montréal.

Non, c'est pas un rendez-vous galant. Il y a une exposition au Cosmodôme qu'il faut que je voie pour ma thèse. Mardi ?

À quelle heure tu finis ton émission ? Écoute, ça va te prendre moins d'une demi-heure, je te le promets. J'ai besoin de deux signatures.

Ben, parce qu'elle avait plus rien, pauvre vieux. Elle avait environ cinq mille dollars en bons d'épargne de la Caisse populaire, pis elle avait même pas d'assurance-vie.

Philippe retourne à la fenêtre.

Non, laisse faire le café, je vais le faire, moi, le café, apporte les croissants. Ah oui, pis, euh... est-ce que tu me rendrais un service? Est-ce que tu prendrais son poisson rouge?

Oui, elle avait un petit poisson rouge dans un bocal, qu'elle avait gagné au bingo.

Écoute, André, t'es allergique quand tu manges du poisson, pas quand tu nourris un poisson !

Parce que c'est la dernière chose vivante qui appartenait à maman et que je me vois pas balancer ça dans les toilettes !

Mais qu'est-ce que ça peut lui faire, c'est ta maison !

Pourquoi? Est-ce qu'il a décidé d'emménager officiellement avec toi?

Écoute André, j'ai pas le temps de négocier ça au téléphone. Veux-tu, on va en parler mardi ?

Mardi matin, dix heures, comme on a dit. Et cette fois-ci, est-ce que tu peux, s'il te plaît, te présenter au rendez-vous ?

Musique.

Leonov

Les panneaux coulissent à nouveau, découvrant le mannequin maintenant revêtu de l'uniforme de l'Armée rouge. La « marionnette » est manipulée par derrière. De chaque côté, projection d'images vidéo de la mission soviétique qui avait envoyé des animaux dans l'espace. Voix masculine s'exprimant avec un fort accent russe.

Timbre de l'ancienne République démocratique allemande en hommage au cosmonaute soviétique Leonov.

Bonjour, je m'appelle Alekseï Leonov et je suis très honoré d'avoir été invité ici, au Cosmodôme de Montréal, pour inaugurer cette extraordinaire exposition sur les programmes spatiaux soviétiques.

En 1959, après avoir envoyé plusieurs animaux dans l'espace, les responsables du programme spatial soviétique a pensé, il est temps d'envoyer être humain. Aussi, je suis très fier d'avoir été partie du groupe des vingt premiers cosmonautes à explorer espace. Avant mon service militaire, j'ai fait des études en peinture, à l'École des beaux-arts de Saint-Pétersbourg, et j'étais très surpris de découvrir que mon métier de cosmonaute ne m'a jamais empêché de m'exprimer artistiquement. Au contraire, lors de mes nombreux voyages dans espace, j'ai emporté des crayons pour faire des croquis qui, plus tard, sont devenus les tableaux que vous pourrez voir dans cette exposition.

Souvent, on me demande comment une personne peut être à la fois un cosmonaute et un artiste et je réponds que, pour moi, il n'y a pas différence, car les deux doivent avoir courage, sens de curiosité et aventure.

Je vous remercie de votre attention et je vous déclare cette exposition sur les programmes spatiaux soviétiques officiellement ouverte.

Applaudissements.
Son et projection d'images d'archives de l'Agence spatiale russe de la première mission spatiale habitée, et projection du surtitre: 1961, Vostok 1. Iouri Gagarine, premier homme en orbite autour de la Terre.

Météo

Projection d'une image satellite de la Terre, montrant les deux continents américains. André, complet marron, cravate, et arborant une barbichette, entre et s'approche de l'image.

Alors si on jette un petit coup d'œil sur notre image satellite, on peut voir très clairement ce système de perturbations qui sévit présentement sur la presque totalité du territoire nord-américain et qui a pour effet, évidemment, d'amener des pluies diluviennes sur le sud-ouest des États-Unis avant de se transformer en tempête de neige une fois rendu chez nous. Le système va continuer à se déplacer vers l'est au cours de la nuit prochaine, se

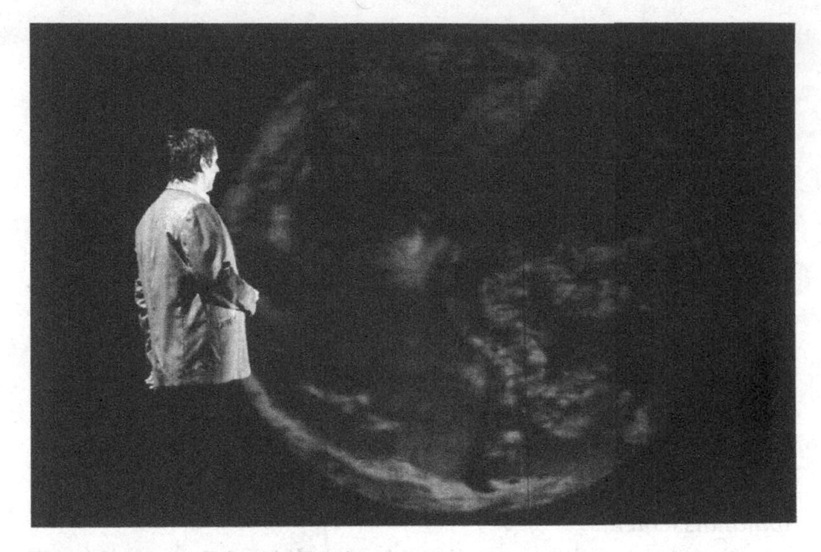

Robert Lepage – © Sophie Grenier

transformant en pluie verglaçante. Alors, si vous habitez la péninsule gaspésienne, on vous conseille fortement de prendre congé demain matin ou du moins de vous déplacer prudemment sur les routes de l'est du Québec.

Image de l'est de l'Amérique du Nord. André inscrit à la craie les températures prévues.

Alors, un peu plus près de chez nous maintenant, comme on pouvait s'y attendre, les températures sont bien au-dessus des moyennes saisonnières. À commencer par un maximum de zéro dans la région de Toronto, moins un pour la région d'Ottawa, un peu plus froid pour le nord de l'Ontario, moins cinq, moins quatre à Chicoutimi, moins un également à Montréal et un douillet moins deux pour la région de la Vieille Capitale. Mais il ne faut pas s'emballer trop rapidement, chers téléspectateurs, parce qu'un peu plus tard au cours de la semaine, il y a ce système de basse pression présentement au-dessus du nord de l'Ontario qui, comme à son habitude, va pousser tout ce mauvais temps vers le sud du Québec, nous apportant des températures beaucoup plus proches des moyennes saisonnières.

Image stylisée du soleil accompagnée des heures de son lever et de son coucher.

Mais il faut s'encourager, parce qu'à partir de demain, les journées commencent à allonger avec un soleil qui va se lever à 7 h 35 pour se coucher à 16 h 15.

Alors, voilà, c'est tout pour aujourd'hui et, de la part de tous les employés de la chaîne Météo, j'aimerais en profiter pour vous souhaiter un très, très joyeux temps des Fêtes...

Déjeuner avec André

Tout en parlant, André se déplace vers l'autre côté du plateau où se trouvent le téléviseur maintenant placé sur la petite table à roulettes ainsi qu'une planche à repasser sur laquelle sont posés un fer et le bocal du poisson rouge.

... et te conseiller de prendre cet argent-là pour faire un petit voyage dans le Sud ! T'as quarante-deux ans, Philippe, pis t'as jamais mis les pieds dans un avion. C'est pas normal ! Sors, bouge un peu, fais de l'exercice, abonne-toi à un gym ! Je veux dire, c'est cinq mille dollars, qu'est-ce que tu veux que je fasse avec cet argent-là ? Garde-le pour toi, fais-toi un cadeau, merde !

Chaque fois que j'essaie de t'aider, c'est toujours la même chose, t'essaies toujours de me désamorcer. Tu sais c'est quoi, ton problème ? T'as trop d'amour-propre, mon gars. T'es trop orgueilleux. Bon, où est-ce que je signe, moi ?

Il signe des papiers posés sur la planche à repasser.

Est-ce qu'elle lui avait donné un nom, au poisson ?

Beethoven, elle l'appelait Beethoven ! Pourquoi, parce qu'il est sourd comme un pot, ou bien il joue la *Neuvième* quand tu le nourris ?

Puis, comment ça s'est passé, ta présentation de thèse ?

Quand est-ce que tu vas savoir ?

Écoute, mon vieux, t'es pas mal plus courageux que moi, parce que, moi, je te dis qu'après deux refus comme ça, ça ferait longtemps que je t'aurais tout calicé ça là. Tu sais ce que je pense ? Moi, je suis convaincu que c'est pas le contenu de ta thèse qui est problématique, c'est ta présentation qui doit laisser à désirer.

Parce que chaque fois qu'il y a plus de deux personnes dans une pièce, tu te mets à trembler ! Tu bredouilles, tu bafouilles, tu marmonnes pis tu t'énerves ! Il faut que t'aies un peu plus confiance en toi, mon gars ! Tu sais ce que tu devrais faire ? Tu devrais faire cet exercice qu'on faisait, nous, quand on était à l'école des annonceurs. Tous les matins, il fallait qu'on se place devant la classe puis qu'on répète haut et fort : « Je parle fort, mais je ne suis pas ridicule, je parle fort, mais je ne suis pas ridicule. » Et tu répètes autant de fois que t'en as besoin pour accumuler l'énergie jusqu'à ce que tu sentes que t'as assez de tonus pour livrer la marchandise.

Alors, qu'est-ce qui va se passer si t'obtiens pas ton doctorat ? T'as l'intention de passer le restant de tes jours sur des prêts et bourses pis des subventions gouvernementales, c'est ça ? T'as pas besoin de doctorat, Philippe. Tu sais ce dont t'aurais besoin ? T'aurais besoin d'un bon conseiller financier, pis si t'étais pas si frileux, je te présenterais une femme qui est extraordinaire. Non seulement c'est une bonne conseillère financière, mais tu sais ce qu'elle fait ? Elle lit dans les portefeuilles, mon gars, comme une cartomancienne ! Elle vérifie si tu respectes l'argent. Parce que si tu respectes pas l'argent, lui, l'argent, il va pas te respecter. Alors, elle regarde l'état de ton portefeuille. Est-ce qu'il est neuf, est-ce qu'il est vieux, est-ce que c'est de la cuirette, est-ce que c'est du cuir véritable? Pis ensuite, elle regarde le contenu de ton portefeuille, mais elle, elle se fout pas mal de la quantité d'argent que tu trimballes avec toi. Non, elle, ce qu'elle vérifie, c'est l'état des billets, si les billets sont neufs, s'ils sont froissés, s'ils sont bien rangés, si les cinq sont avec les cinq, les dix avec les dix, les vingt avec les vingt. Ensuite, elle t'aide à faire le ménage de ton portefeuille pour te débarrasser, tu sais, de toutes ces choses que tu traînes avec toi pis dont t'as pas vraiment besoin, comme des cartes de crédit périmées, des choses comme ça, pour t'aider à faire de la place pour accueillir ton nouvel argent, comprends-tu ? Parce que, elle, elle croit que l'argent c'est comme un visiteur, s'il se sent pas bienvenu quelque part, ben, il reste pas, tabarnac ! Bon, c'est ça, sa théorie.

Mais oui, mais, pauvre con, si t'as pas de portefeuille, où est-ce que tu mets tes cartes de crédit ?

Mais si t'as pas de cartes de crédit, où est-ce que tu mets ton argent ?

Ben, t'en aurais, de l'argent, Philippe, si tu prenais ces cinq mille malheureux dollars que je t'offre aujourd'hui sur un plateau d'argent ! T'es beaucoup trop respectueux de ce petit bout de papier, Philippe. Je veux dire, maman, elle est décédée. Elle se fout pas mal que ses dernières volontés soient exécutées ou pas. Tout ce qui lui appartenait, là, ses meubles, ses vêtements, son foutu poisson rouge, au lieu de faire une belle vente de garage avec ça pis de te faire un peu d'argent de poche, ben non, toi, t'as décidé de prendre tout ce bataclan et d'amener ça ici, dans ce petit appartement où ça respire pas. Je veux dire, tu fais pas de place pour que les choses t'arrivent, Philippe. Tu fais pas de place pour que la chance te visite ! Où est-ce que t'as mis mon manteau ?

Il fait glisser un des panneaux, découvrant des boîtes et des vêtements entassés.

Regarde-moi ce placard ! Moi, si j'étais de l'argent, je pourrais pas survivre dans un placard comme ça !

C'est ça, salut ! Tu me rappelleras quand tu seras parlable !

Il enfile son manteau et sort.

SETI

Le téléviseur est allumé. Philippe entre en peignoir éponge bleu, lunettes sur le nez, transportant un panier à linge. Il branche le fer, pose une chemise sur la planche, l'humecte avec l'eau du bocal et la repasse tout en écoutant la télé.

L'ANIMATEUR – Question sérieuse maintenant: sommes-nous seuls dans l'univers ou existe-t-il quelque part une autre forme d'intelligence qui se pose la même question que nous ? Alors ce matin, je reçois madame Marie-Madeleine Bonsecours, du Bureau canadien du programme SETI, qui va nous dire ce que signifie « SETI » – je vais en apprendre autant que vous. Elle va nous parler d'une toute nouvelle approche pour tenter de répondre à cette question sur la vie extraterrestre. Madame Bonsecours, bienvenue à l'émission. Tout d'abord, évidemment, que désigne exactement le sigle SETI?

M.-M. B. – En fait, SETI signifie Search for Extra Terrestrial Intelligence, c'est-à-dire la recherche d'une intelligence ou de formes d'intelligence extraterrestre. C'est un organisme qui a été créé en 1959 par deux physiciens de l'Université Cornell aux États-Unis, qui croyaient qu'à l'aide de puissantes ondes radio, il nous serait possible de communiquer avec d'autres systèmes solaires.

L'ANIMATEUR – Cette fois-ci, votre démarche vous amène à solliciter la participation du public de façon différente...

M.-M. B. – Oui. Jusqu'à maintenant, le programme s'est concentré surtout sur l'écoute des éventuels signaux envoyés par les différentes civilisations extraterrestres, alors que maintenant, nous demandons à la population d'envoyer ses messages en nous faisant parvenir des vidéos maison destinées à des civilisations inconnues.

L'ANIMATEUR – Ah, vraiment ? Donc, je pourrais vous envoyer la vidéo de mon fils s'endormant sur son cornet de crème glacée... C'est ce que vous voulez ?

M.-M. B. – Non, pas vraiment. En fait, nous allons faire une sélection assez sérieuse puisqu'il s'agit d'un concours.

Nous allons choisir dix de ces vidéos que nous allons conformer en code binaire et envoyer dans l'espace.

L'ANIMATEUR – Mais pourquoi précisément des messages du public et non pas des messages de scientifiques ?

M.-M. B. – Oui, c'est une bonne question. En fait, nous avons déjà, dans le passé, envoyé de nombreux messages scientifiques, mais nous avons toujours eu la crainte qu'ils puissent être interprétés de façon négative par des civilisations peut-être hostiles à notre présence dans l'univers. Alors, nous avons cru qu'il serait sage de permettre à des citoyens ordinaires de montrer comment on vit ici, sur la Terre.

© Archives Robert Lepage. « De la Lune, impossible de voir les divisions territoriales, les guerres, les conflits. Le drapeau américain marque la première forme de division du grand fromage lunaire. Après le Suisse voici que commence l'ère du chèvre américain cendré. »

L'ANIMATEUR – Donc, pour participer, je vous donne une adresse : SETI Project, 267, Cactus Drive, Box 105, Phoenix, Arizona, code postal 95020.

Philippe note l'adresse.

Je répète : 267, Cactus Drive, Box 105, Phoenix, Arizona, 95020. Merci beaucoup, madame Bonsecours, vous nous avez appris beaucoup et je vous souhaite bonne chance dans tous vos projets.

Ne nous quittez pas, chers téléspectateurs, après la pause, le cuisinier Albéric de Thiers nous fera une démonstration de cuisine norvégienne, et, je vous dis, ça sent déjà le saumon dans le studio. Alors, restez avec nous !

Philippe éteint la télé, ouvre le placard et en sort un sac d'où il tire une caméra vidéo.
Noir. Musique. Son et projection d'images d'archives de l'Agence spatiale russe du premier homme à marcher dans l'espace, et projection du surtitre : 1965, Voskhod 2. Alekseï Leonov, première sortie dans l'espace.

Tour guidé

Philippe réapparaît, tenant la caméra devant lui. Il se déplace derrière le mur dont quelques panneaux sont ouverts.

Alors, nous, les habitants de la Terre, quand on veut se protéger des éléments extérieurs, on se réfugie dans ce qu'on appelle des maisons. Mais les gens moins fortunés, comme c'est le cas ici, se réfugient dans ce qu'on appelle des appartements loués. Alors ça, c'est le corridor de mon appartement loué. Je peux peut-être vous le faire visiter...

Alors, il y a une première pièce, ici, qu'on appelle le *living,* pour parler français. Disons qu'à l'époque, il y avait des familles entières qui habitaient dans des petits appartements comme le mien. Alors, ici, c'était l'endroit où ils se rassemblaient le soir après le travail, devant un feu de foyer. Ils se racontaient des histoires puis ils se racontaient leur journée. Évidemment, aujourd'hui, c'est la télévision qui a remplacé le feu de foyer, donc, c'est la télévision qui raconte les histoires, c'est la télévision qui raconte sa journée.

Ça, c'est ce qu'on appelle un sofa. C'est un meuble qui est très pratique quand on a de la visite, alors, s'il vous vient l'idée de me visiter dans un avenir prochain, c'est probablement là que vous allez passer la nuit, donc, c'est un pensez-y-bien !

Parce que, voyez-vous, dans mon appartement, il y a une seule chambre à coucher, donc, ça veut dire que, potentiellement, il y a un seul lit, comme vous pouvez voir ici. Évidemment, il y a toutes sortes de lits. Des lits simples, des lits doubles, des lits jumeaux... Et c'est pas parce qu'on dort dans un lit simple que ça veut nécessairement dire qu'on est seul dans la vie, puis c'est pas parce qu'on dort dans un lit double que ça veut nécessairement dire qu'on fait partie d'un couple. Puis, quand c'est des lits jumeaux, c'est assez rare que c'est parce qu'on est des jumeaux, ça veut plutôt dire qu'on fait partie d'un couple, mais qu'on regrette amèrement l'époque où on était seul dans la vie.

Ça, c'est la cuisine. La cuisine est une pièce très importante, parce que c'est ici qu'on prépare tous les éléments essentiels à notre nutrition. Mais, habituellement, une cuisine, c'est pas mal plus impressionnant que ça, parce qu'il y a toutes sortes d'appareils ménagers. Moi, le seul appareil ménager que j'ai, mais qui est essentiel à mon alimentation, c'est le téléphone, parce qu'il me permet de me faire livrer de la pizza et des mets chinois. Il est très pratique pour le travail aussi, parce que comme je suis encore aux études, il faut que je joigne les deux bouts, alors, les fins de semaine, je fais un peu de sollicitation par téléphone.

Et puis au bout du corridor, ici, c'est les toilettes. Évidemment, on vous dira que c'est plus élégant d'appeler ça une salle de bains, mais quand c'est petit et malpropre comme ça, parce que ça n'a pas été refait depuis quarante ans, moi, j'appelle ça des toilettes.

Alors, voilà, c'est à peu près tout. C'est ici que j'habite, que je travaille. Évidemment, il y a toutes sortes de placards que je vous montrerai pas parce que c'est sans intérêt. À part celui-là, ici... Celui-là, je peux peut-être vous le montrer.

Il ouvre le placard.

C'est un placard qui contient toutes sortes de vêtements qui appartenaient à mes parents. Il y a des chemises et des vestons qui appartenaient à mon père, des robes qui appartenaient à ma mère... Une boîte à chapeau, une paire de souliers de femme...

Il sort du placard une paire de chaussures à talons hauts, qu'il dépose par terre devant lui.

Évidemment, à l'époque, ma mère en avait des dizaines et des dizaines parce que c'était une femme très élégante et c'était très important pour elle que chaque paire de souliers soit assortie à la robe qu'elle allait porter ce soir-là. Parce qu'elle sortait beaucoup. C'était une femme très populaire, dotée d'une personnalité extraordinaire. Donc, elle se faisait inviter dans toutes sortes de galas et de cocktails.

Robert Lepage – © Sophie Grenier

Mais ça, évidemment, c'était à l'époque où elle avait une vie sociale, parce que, quand mon père est décédé, il a fallu qu'elle se mette à travailler pour nourrir ses enfants. Alors, disons que, le soir, elle était trop fatiguée pour aller danser, puis le temps a passé, puis, bon, elle s'est débarrassée de toutes ses robes de soirée... Et même ses beaux souliers, elle ne pouvait plus les mettre, parce qu'elle n'avait plus de pieds pour les porter. Les docteurs ont commencé par lui enlever les orteils, puis ensuite les pieds, puis, à un moment donné, ç'a été les jambes, coupées juste en dessous du genou. C'était assez catastrophique parce que ma mère avait de très belles jambes. C'est d'ailleurs la partie de son anatomie dont elle était le plus fière. Mais bon! Ici, sur Terre, c'est le genre d'épreuve à laquelle on est confronté, et, comme disait un grand philosophe du XXe siècle qui préfère garder l'anonymat: « La vie sur Terre, c'est une beurrée de merde et, plus ça va, moins il y a de pain.»

Il éteint la caméra, la dépose dans le placard et chausse les escarpins de sa mère. Musique. Le dispositif bascule vers le bas, dissimulant l'acteur.

La mère

Le dispositif bascule vers le haut. L'acteur réapparaît, maintenant vêtu d'une robe fluide dans les tons turquoise, coiffé d'un foulard et portant des lunettes noires. Les panneaux coulissent, réintroduisant le hublot de la laveuse. La mère pousse le panier à linge devant elle jusqu'au hublot, qu'elle ouvre et dont elle tire quelques vêtements qu'elle dépose dans le panier. Puis, elle sort de la sécheuse une marionnette de la taille d'un jeune enfant, représentant un cosmonaute vêtu d'une combinaison blanche branchée à un long tuyau comme à un cordon ombilical. Elle détache le tuyau, prend la marionnette par les pieds et lui donne quelques tapes dans le dos, comme on fait à un nouveau-né. Puis, elle la place dans le panier qu'elle fait tournoyer autour d'elle. Elle serre l'enfant dans ses bras, le berce, lui donne des baisers, le fait marcher sur le sol puis l'assoit sur ses genoux et lui désigne

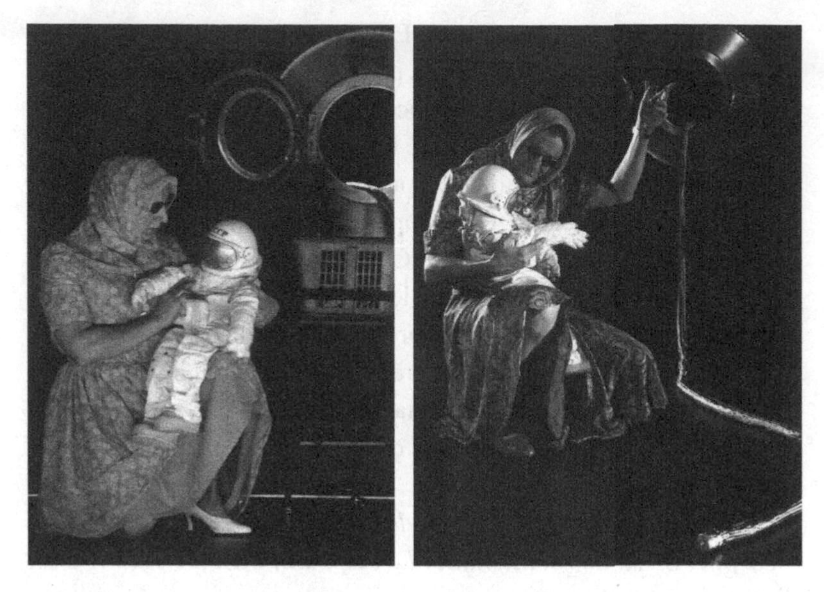

Robert Lepage – Yves Jacques – © Sophie Grenier.

quelque chose au-dessus d'eux. Le dispositif bascule à nouveau. Le petit cosmonaute flotte maintenant dans les airs, au-dessus du dispositif qui bascule une autre fois.

Gym

Miroirs. Ambiance sonore de gym : bruit des appareils. Philippe, vêtu d'un short et d'un débardeur, une serviette autour du cou, se regarde un moment dans la glace, tâtant ses muscles. Puis, en utilisant la planche à repasser, dont il modifie chaque fois la position, il exécute différents exercices de conditionnement physique. Il replace ensuite la planche en position normale, pose dessus un grand sac, en sort une bombe de mousse à raser dont il s'enduit le visage. Il s'arrête, fait mine de s'examiner dans une glace, puis se met à imiter les gestes de son frère faisant les prévisions météorologiques à la télé. Noir. Musique.

Travail à la maison

Projection d'une image vidéo du poisson nageant dans son bocal. Philippe, en peignoir, entre et s'assoit devant la petite table à roulettes sur laquelle sont posés un téléphone, un annuaire, un thermos, une boîte cylindrique contenant des croustilles, une bouteille de jus et une salière. Il grignote une croustille, consulte l'annuaire et compose un numéro.

Oui, bonjour, j'aimerais parler à la maîtresse de maison, s'il vous plaît.

Oui, bonjour, vous êtes madame Rémi Brochu ?

Oui, bonjour, madame Brochu, j'appelle de la part du journal *Le Soleil*. Nous sommes présentement en campagne d'abonnement et on offre à la population la possibilité de recevoir le journal *Le Soleil* gratuitement pendant deux semaines. Et si, après ces deux semaines, l'abonnement vous intéresse, vous avez droit à une réduction de 15 % sur le prix total de l'abonnement annuel. Est-ce que c'est une offre qui pourrait vous intéresser ?

Non, madame, ça, c'est le *Journal de Québec*. Nous, c'est le journal *Le Soleil*.

Non, eux, c'est un tabloïd, nous, c'est un vrai journal.

Oui, c'est ça, le grand format.

Ça n'entre pas dans votre boîte aux lettres...

Non, non, je comprends, c'est une excellente raison pour ne pas s'abonner. On en prend bonne note, madame ! Merci, au revoir !

Il raccroche, consulte l'annuaire à nouveau et compose un autre numéro.

Oui, bonjour, j'aimerais parler à la maîtresse de maison, s'il vous plaît.

Pas de problème, monsieur, je peux vous parler à vous. Vous êtes monsieur Roger Brochu ?

Bonjour, monsieur Brochu. Je vous appelle de la part du journal *Le Soleil*. Nous sommes présentement en campagne d'abonnement et... Monsieur Brochu ?

Il raccroche et compose encore une fois un numéro.

Oui, bonjour, j'aimerais parler à la maîtresse de la maison, s'il vous plaît.

Non. Maman. Va chercher maman. Maman.

Oui, bonjour, vous êtes madame Rodrigue Brochu ?

Oui, bonjour, madame Brochu, j'appelle de la part du journal *Le Soleil*. Nous sommes présentement en campagne d'abonnement, et on offre à la population la possibilité de recevoir le journal *Le Soleil* gratuitement pendant deux semaines...

Pardon ?

Oui, c'est Philippe... Qui parle ?

Non, j'en ai vraiment aucune idée ! C'est qui ?

Nathalie qui ?

Euh, non... Écoute, je suis confus, Nathalie.

J'essayais pas de te rejoindre du tout. J'essayais simplement de rejoindre une madame Rodrigue Brochu.

Comment ça, c'est ton nom ?

Tu t'es mariée quand ?

Non, je le savais pas. Personne me l'a dit.

J'ai dit : personne me l'a dit.

Non, j'ai la même adresse, pis le même numéro de téléphone.

Non, ça, c'est le numéro de téléphone de ma mère. En fait, c'était le numéro de téléphone de ma mère parce qu'elle est décédée, il y a deux semaines.

Non, non, c'est correct. C'est mieux comme ça.

Disons qu'elle avait plus tellement une belle qualité de vie à la fin.

Non, c'était ses reins, elle faisait de l'insuffisance rénale, donc elle était dialysée trois fois par semaine.

Ben, il fallait qu'elle calcule la quantité d'eau qu'elle pouvait absorber en une journée et j'imagine qu'un matin, elle a mal calculé puis elle s'est retrouvée avec l'équivalent d'un grand verre d'eau sur ses poumons, puis sur son cœur.

Parce que, quand tes reins fonctionnent pas, c'est là que l'eau s'accumule, c'est comme si tu te noyais dans ta propre…

...urine, oui, c'est ça.

Non, non, je vais être correct, ben oui.

Oh ! Ça, je le sais pas. Il est pas facile à comprendre...

Oui, même à Canal Météo !

Il rit.

Écoute, c'est une coïncidence incroyable !

Non, c'est un travail de fin de semaine. Tu sais, c'est de la sollicitation par téléphone.

Ah non ! Ah mon Dieu ! Ça fait au moins deux ans que j'ai pas enseigné !

Ben, c'était de la suppléance, alors, c'était pas très très payant. Pis, tu me connais, j'ai jamais eu aucune espèce d'autorité devant une classe, alors ça prenait pas cinq minutes pour que les étudiants s'essuient les pieds sur moi. Ça fait que… Mais toi, est-ce que t'enseignes encore ?

Ben, 950, avenue des Braves, avec une adresse comme ça, tu dois plus vraiment avoir besoin de travailler, je veux dire...

Non, non, c'est pas une farce amère… Prends pas ça comme ça ! C'est juste un constat. T'as pas besoin de te sentir coupable si t'as frappé le gros lot.

C'est pas ce que j'ai dit.

Peut-être, mais c'est pas du tout ce que j'ai voulu dire. Je pense que tu me prêtes des intentions, encore.

T'es peut-être encore un peu paranoïaque, aussi ?

Nathalie, veux-tu, on va arrêter ça là ?

Non, mais je sais comment la conversation va se terminer, puis disons que c'était pas dans mon agenda aujourd'hui de me faire donner de la merde par mon ancienne blonde.

Non, c'est mieux comme ça. Écoute, c'était quand même bien d'avoir de tes nouvelles. Je te souhaite d'être heureuse. Salut !

Il raccroche brusquement. Il referme la boîte de croustilles et la pose sur la table. Il verse un peu de café dans le couvercle de son thermos et en boit quelques gorgées. Il dépose le thermos sur la boîte de croustilles, sur laquelle il ajoute la bouteille de jus puis la salière, construisant ainsi une petite fusée.

Sur la Lune

Bande sonore du compte à rebours du décollage d'une fusée Apollo au centre de contrôle de la NASA. Philippe se lève, fait rouler la table jusqu'à l'avant-scène et fait mine de faire décoller sa fusée. L'image du bocal se transforme en celle de la Terre vue de l'espace. Apparaît une petite voiture où sont placées deux marionnettes représentant les astronautes roulant sur la surface lunaire. Bande sonore d'archives de conversations entre les astronautes américains sur la Lune.

Bar

Projection dans le hublot d'une horloge lumineuse dont les aiguilles avancent à vitesse accélérée puis s'arrêtent à 12 h 20. Philippe, vêtu de son manteau bleu, est accoudé à la surface réfléchissante du dispositif, placée à l'horizontale, devant un verre, un cendrier, un paquet de cigarettes, un briquet et un document. Il fume une cigarette. Musique d'ambiance.

Excuse-moi, est-ce que c'est la bonne heure, ça ?

Merci. Le bar, ici, est-ce que c'est le seul endroit dans tout l'hôtel où les gens peuvent prendre un verre ou bien s'il y a des *lounges*, pis d'autres endroits comme ça?

Robert Lepage – © Cylla Von Tiedemann

Yves Jacques – © Sophie Grenier

C'est ici que ça se passe...

C'est que j'ai donné rendez-vous à quelqu'un à dix heures, ici, ce soir, puis de toute évidence, la personne se présentera pas.

Non, je suis pas de Montréal, je suis de Québec, pis la personne en question vient de l'extérieur du pays, et c'était le seul point de repère qu'elle avait à Montréal, sinon j'aurais choisi une autre place. Pas parce que c'est pas correct...

Non, je l'aurais reconnu tout de suite, c'est quelqu'un de très connu. J'avais rendez-vous avec Alekseï Leonov.

Il répète le nom du cosmonaute en détachant les syllabes.

A l e k s e ï L e o n o v.

Non, non, c'est pas un joueur de hockey, c'est un ancien cosmonaute russe. Tu sais, il est venu inaugurer la grande rétrospective sur le programme spatial soviétique au Cosmodôme.

Oui, ils avaient un programme spatial, eux aussi.

À peu près en même temps que les Américains.

Ben, je sais ça parce que tout le monde sait ça !

Non, je suis pas un cosmonaute, j'étudie en philosophie de la culture.

Oui, j'ai écrit une thèse sur les phénomènes scientifiques et leur impact sur la culture populaire au XXe siècle. J'espérais la lui remettre pour qu'il la lise et je voulais lui demander qu'il m'écrive une lettre de recommandation pour m'aider à obtenir mon doctorat.

C'est sûr que je suis déçu ! Quand est-ce que ça adonne que tu peux prendre un verre avec un cosmonaute, toi ? Et lui, c'est vraiment quelqu'un de bien. En plus d'être un scientifique, c'est un artiste peintre. Alors son point de vue sur toute la question de l'exploration spatiale est vraiment très intéressant. Quand j'étais jeune, ce gars-là, c'était mon idole.

Ben, parce qu'il a fait toutes sortes de choses courageuses. Je veux dire, il est allé dans l'espace plusieurs fois. Il a été le premier homme à sortir de sa capsule et à marcher dans l'espace, à faire une marche dans l'espace. Il a aussi participé au rendez-vous Soyouz-Apollo avec les Américains. Tu sais, c'est lui, le gros Russe qui ouvrait la trappe pour tendre la main à l'Américain.

Tu l'as pas vu...

Pis si les Russes avaient pas perdu la course vers la Lune, ben, c'est lui qui avait été pressenti par les Soviétiques pour être le premier homme à marcher sur la Lune. Peux-tu imaginer l'amertume que ce gars-là pouvait éprouver ! On pense qu'on a des problèmes d'amour-propre, nous autres. Je veux dire, il faut que tu sois zen en calice !

Non, non, c'est pas un astronaute, c'est un cosmonaute.

Ben, parce que c'est pas la même chose.

Ben, parce qu'un astronaute, c'est un Américain, pis un cosmonaute, c'est un Russe.

Non, mais les mots veulent pas dire la même chose. Étymologiquement, le mot *astronaute,* ça veut dire « navigateur à la recherche des étoiles » et *cosmonaute,* ça veut dire « navigateur à la recherche du cosmos ».

Ben, je m'excuse, c'est pas la même affaire pantoute.

Parce que le mot « cosmos », c'est un mot très précis, c'est le contraire de chaos. Souvent on va entendre : « chaos-cosmos, cosmos-chaos ».

Ça veut dire l'ordre, le système. Même que les anciens Grecs utilisaient ce mot-là pour décrire la beauté, parce que, pour eux, l'ordre harmonieux de l'univers, c'était synonyme de beauté. C'est pour ça que le mot « cosmétique », par exemple, ça vient de la même racine que le mot « cosmos ».

Non, ça n'en fait pas des « navigateurs à la recherche de cosmétiques », ça en fait des « navigateurs à la recherche de la beauté ».

C'est quoi que tu comprends pas, au juste, depuis le début ?

Non, non, ce que je veux dire, c'est que, par définition, un cosmonaute, c'est quelqu'un d'inspiré, pis un astronaute, c'est quelqu'un de très bien financé !

C'est sûr que j'aurais aimé le rencontrer pour la lettre de recommandation, mais j'aurais surtout aimé le connaître, pas seulement pour des affaires d'ordre scientifique, mais, je sais pas, pour lui parler de... comment il vit son quotidien... Comment tu fais pour réconcilier l'infiniment banal, l'infiniment petit avec l'infiniment grand, l'infiniment essentiel ? Par exemple, comment tu fais pour trouver la motivation de continuer à vivre quand t'as accompli de grandes choses mais que, bon, l'Histoire va se souvenir de toi comme d'un numéro deux, comme de quelqu'un qui a manqué sa chance. Je sais pas, j'aurais aimé savoir comment il gère son amertume, parce que l'amertume, c'est le principal obstacle à la réconciliation. Tu peux pas réconcilier deux peuples ou deux individus si t'entretiens constamment de l'amertume.

Ça m'intéresse parce que, moi aussi, j'ai des problèmes de réconciliation. Comme tout le monde...

Ben, pas avec tout le monde, là !

Ben, là, avec qui ! Un muffin avec ça ?

Moi, j'ai un frère.

Non, il est plus jeune. Mais, des fois, on pense que c'est le contraire parce que monsieur a réussi, pis parce qu'il parle avec un accent français, la bouche en cul de poule, le monde pense qu'il a de la culture.

Ben, c'est probablement le dernier lien de sang encore vivant que j'ai sur terre, alors je sens le besoin de me réconcilier avec lui, mais j'arrive pas à trouver la motivation, c'est tout.

Parce que c'est un trou du cul. C'est un bourgeois fini. C'est un menteur compulsif. C'est un gars qui parle d'argent sans arrêt, il est vaniteux, il a un gros *char* pis une grosse maison à la campagne qu'il partage avec son «copain», son fameux copain...

Eh, oh, non, non, non! J'ai rien contre le fait qu'il soit gay, mais comme la plupart des homosexuels que je connais, il est insouciant, riche pis chanceux.

Il fait la météo. Canal Météo. Celui avec le bouc. Le bouc. Le bouc du Canal Météo! Pis il est pathétique, pathétique! Il est là devant son image satellite pis, là, monsieur est convaincu que, vue de l'espace, la Terre, ça ressemble à ça! Qu'il y a des pointillés pis des petites flèches pour t'aider à comprendre comment les choses sont placées, qu'il y a des frontières, vues de l'espace, que tu les vois! Ça, ici, c'est le Kosovo, pis là, ça, c'est la Serbie. Ça, c'est l'Afrique du Sud pis ça, c'est la bande de Gaza. Ça, c'est la province de Québec avec toutes les autres provinces canadiennes, pis toutes les affaires sont à leur place dans leurs petits compartiments! Pis la pire chose qui peut nous arriver, c'est qu'il tombe de la pluie verglaçante ou ben qu'il grêle, calice ! Il a pas l'air de se rendre compte qu'il y a des affaires qui sont pas mal plus compliquées, qu'il y a des affaires qui sont pas mal plus difficiles à comprendre, pis que la Terre, vue de l'espace, c'est comme une grosse pizza où les gens ont de la difficulté à se réconcilier, justement !

C'est sûr que je suis jaloux. Je suis pas jaloux de son *cash* pis de sa maison à la campagne, je suis jaloux de son peu de conscience universelle, de son peu de culture, de son peu d'éducation pis de son peu de curiosité. Toutes les affaires qui me rendent malheureux, comme ma grande conscience universelle pis ma grande compassion humaine... Lui, comprends-tu, la compassion, ça lui passe là, là ! En tout cas...

La musique s'arrête et les lumières s'allument.

Qu'est-ce que c'est censé vouloir dire, ça ?

Ben, là, minuit et demi, *last call*... Je veux ben prendre des grandes gorgées pour donner une petite chance au staff, mais bon... Je veux dire, Montréal est-il encore au Québec, ou bien si, à cause des fusions, c'est déménagé en Ontario ?

Alors, c'est quoi, le problème ? Je suis plate ?

Non, non, tu peux me le dire, je suis plate ! Écoute, ça fait quarante ans que je me fais dire que je suis plate !

Je le sais que je parle fort, criss, mais il y a personne dans la place !

Non, non, je m'excuse, « je parle fort, mais je ne suis pas ridicule » !

Il sort. L'image de l'horloge se transforme en celle de la Terre vue de l'espace. Une voiture miniature où prennent place deux petites marionnettes roule sur l'arête du mur. Bande sonore de conversations entre les astronautes sur la Lune.

Système solaire

L'image de la Terre fait place à celle de vêtements tournant dans une sécheuse. Philippe, en peignoir, démarre la caméra qui est installée au-dessus de la planche à repasser, où il place une orange et neuf cailloux de couleurs et de grosseurs différentes. L'image vidéo, légèrement grossie, est projetée en direct sur le mur derrière lui.

Il m'est venu à l'idée que, si jamais vous vouliez venir nous visiter, vous auriez probablement besoin de nous repérer, alors j'ai décidé de vous faire une petite démonstration pour vous aider à nous localiser. Disons que la première chose qu'il faut savoir, c'est que, selon les scientifiques, notre système solaire est tout à fait quelconque

Scène du film – © La Face Cachée de la Lune Inc.

et qu'il est situé un peu en banlieue de notre galaxie et que notre galaxie elle-même est tout à fait quelconque et qu'elle est située quelque part en banlieue de l'univers. Alors, à en croire les scientifiques, vous n'avez qu'à tourner à gauche après le centre commercial et vous allez nous trouver. Si jamais il vous arrive de rencontrer un alignement planétaire qui ressemble à celui que vous voyez présentement, vous devez savoir qu'on est la troisième planète à partir du Soleil. Évidemment, si vous empruntez la route panoramique, là, c'est sûr qu'on habite la... un, deux, trois, quatre, cinq, six, septième planète du système solaire. De toute façon, vous pourrez pas nous manquer parce que c'est une planète qui est bleue. D'ailleurs, on l'appelle la planète bleue. Ça, c'est à cause du maelström de tous les éléments organiques qui permettent à la planète d'avoir une forme de vie intelligente. Je me demande d'ailleurs pourquoi on appelle ça comme ça, parce que, si on était si intelligents, ça ferait

Robert Lepage – © Sophie Grenier

longtemps qu'on aurait trouvé une façon équitable de répartir les richesses de la planète. En plus, c'est surpeuplé. Il y a plus de six milliards d'habitants, ici. Alors, je vous conseillerais d'essayer de vous trouver du stationnement sur les planètes avoisinantes parce que, disons qu'ici, les places sont chères. Mais là, pour bien se comprendre, ça, ce n'est qu'une représentation du système solaire. L'échelle est tout à fait approximative. Ça, c'est pas le Soleil, c'est une orange de la Floride. Ça, ce sont pas vraiment des planètes, ce sont des pierres, en fait, des minéraux qui faisaient partie d'une collection que mon frère avait quand il était jeune et qu'il m'avait offerte en cadeau quand je suis tombé malade à l'âge de treize ans et que je suis entré à l'hôpital et que tout le monde pensait que j'allais mourir. Alors, j'imagine que c'était sa façon à lui d'attirer mon attention une dernière fois avant que je trépasse.

Il range les cailloux dans une boîte, déplace la planche à repasser puis s'adresse directement à la caméra au-dessus de lui.

Parce que, voyez-vous, ici, sur Terre, on est prêts à faire bien des bassesses pour attirer l'attention d'un être cher. C'est probablement la raison pour laquelle je suis tombé gravement malade. Mon père venait de mourir et ma mère avait jeté tout son dévolu sur mon jeune frère, alors j'étais jaloux. Un matin, je me suis réveillé avec un mal de tête terrible. J'avais une douleur aiguë derrière mon œil droit. J'essayais d'ouvrir mon œil parce que je pensais qu'il était fermé mais, en fait, il était ouvert. Je voyais plus rien de cet œil-là. J'avais de la difficulté à calculer les distances, je tombais partout et j'ai failli me faire frapper par une voiture, alors ça a fonctionné très bien parce que ma mère est devenue très inquiète et elle a pensé qu'il fallait absolument que j'aille voir un médecin.

Il enlève son peignoir, sous lequel il porte un sarrau blanc. Il met des lunettes à grosses montures noires puis installe la planche à repasser à la verticale, face au public.

Chez le médecin

Le médecin s'assoit sur une chaise, derrière la planche, et procède à l'examen avec une petite lampe de poche. Projection vidéo dans le hublot du point de vue de Philippe enfant, à l'aide d'une petite caméra fixée à la planche à repasser.

Regarde vers le haut. Vers le bas. L'autre œil maintenant. Vers le haut. Vers le bas. Qu'est-ce qui arrive quand je mets ma main comme ça ?

L'image vidéo disparaît.

Et si je bloque l'autre œil ?

Robert Lepage – © Sophie Grenier

L'image réapparaît.

Bon, écoute, Philippe, on a reçu les résultats des examens qu'on a faits ce matin. Il y a quand même de bonnes nouvelles, t'es pas en train de devenir aveugle. Mais disons que, sur la radiographie, on a repéré une masse, juste en dessous de ton cerveau et juste au-dessus de ton œil droit, qui pousse sur ton nerf optique, et c'est ça qui t'empêche de voir correctement. Alors, on va essayer de voir comment on va faire pour aller chercher cette... euh... tumeur, n'ayons pas peur des mots. Donc ça devrait ôter un peu de pression sur ton nerf optique et, dans quelques semaines, tu devrais pouvoir recouvrer la vue dans cet œil. Évidemment, c'est une opération délicate, alors, il va falloir du courage, hein, Philippe, t'es assez vieux pour savoir de quoi on parle. Bon, tu vas m'attendre ici puis je vais aller chercher ta maman pour lui expliquer tout ça. Je vais t'aider à te rhabiller. Tu avais une chemise bleue puis une casquette, c'est ça ?

C'est à toi, les cailloux ?

Comme ça, t'es un collectionneur de cailloux ?

Tu ferais un bon astronaute alors, parce que c'est la seule chose qu'ils ont réussi à faire sur la Lune, ramasser des cailloux. Tourne-toi.

Il installe la chemise sur la planche à repasser, pose une casquette sur le dessus et enfile ses bras dans les manches de la chemise, faisant ainsi apparaître une « marionnette » représentant le petit Philippe, qui retire sa casquette, passe une main sur son crâne et remet ensuite sa casquette. Noir.

Dans l'ascenseur

Le panneau de commande de l'ascenseur clignote. Son de l'appareil en marche. Lumière. Les portes s'ouvrent. André pousse l'étagère dans l'ascenseur, mais les portes se referment, coinçant le meuble. Il appuie sur plusieurs boutons, en vain. Il tire de sa poche un calepin et compose un numéro sur son téléphone cellulaire.

Oui, bonjour ! Vous êtes le concierge ?

Excusez-moi de vous déranger. Écoutez, pouvez-vous monter me dépanner ? Je suis pris au 17e étage, je suis dans l'ascenseur.

Non, je suis un des fils de la convalescente qui était dans la chambre 1701.

Scène du film – © La Face Cachée de la Lune Inc.

Oui, mon frère a vidé l'appartement ce week-end et moi je devais venir chercher une étagère qui restait. J'ai pas réussi à la rentrer complètement dans l'ascenseur pis les portes se sont refermées dessus, et le système de retour automatique n'a pas fonctionné, et je connais rien en mécanique. Est-ce que vous pouvez venir m'aider ?

Non, je manque pas d'oxygène, pourquoi ? Vous pouvez pas monter tout de suite ?

Dans combien de temps alors ?

Quarante-cinq minutes ? Je ne peux pas attendre quarante-cinq minutes, moi, monsieur, il faut que je sois au studio dans une demi-heure. Vous pouvez pas monter tout de suite ?

Oui, mais où êtes-vous, là ?

Mais qu'est-ce que vous faites à Charlesbourg ? C'est quoi ce numéro-là, c'est pas censé être la conciergerie ? C'est votre cellulaire, j'imagine ?

Mais oui, mais c'est un scandale !

Mais oui, mais écoutez, mon pauvre monsieur, qu'est-ce qu'ils font, les petits vieux, pendant le week-end, quand il y a des urgences ? Ils vous téléphonent sur votre cellulaire, puis là, il faut qu'ils attendent que vous ayez terminé votre partie de golf ? J'ai jamais entendu parler d'une chose pareille !

Il n'en est pas question, je vous le dis, je peux pas attendre quarante-cinq minutes, il faut que je sois en studio dans une demi-heure.

Écoutez, je fais la météo, moi, monsieur ! J'ai une grosse tempête de neige à annoncer, alors c'est une question d'intérêt public que vous me sortiez d'ici le plus rapidement possible !

Oui, mais il y a pas une personne responsable dans votre entourage qui peut me dépanner en attendant ?

Comment il s'appelle, votre neveu ?

Mais c'est sûr que je vais l'attendre, où est-ce que vous voulez que j'aille ? Pouvez-vous lui dire de faire ça le plus rapidement possible ?

Il termine l'appel et compose un autre numéro.

Oui, bonjour Carl, excuse-moi de te déranger, je sais que t'aimes pas ça quand je t'appelle au bureau, mais écoute, il faut que tu m'aides, mon gars ! Imagine-toi donc que je suis pris dans un ascenseur !

Robert Lepage – © Emmanuel Valette

Non, au foyer pour vieillards, là où habitait maman.

Oui, je le sais que tu peux rien faire, mais écoute, est-ce que tu peux me rendre un petit service, au moins ? Est-ce que tu peux téléphoner au studio et leur dire que je vais pas pouvoir me rendre à temps ?

Non, non, ils ont l'habitude. Ils ont juste à me trouver un remplaçant. Qu'ils demandent à Huguette, ça fait longtemps qu'elle veut le faire.

Parce que si j'appelle moi-même et que je leur dis la vérité, ils vont pas me croire.

Parce que la dernière fois que je leur ai fait le coup, je leur ai dit que j'étais pris dans un ascenseur.

Je sais pas, dis-leur que je suis pris dans le trafic, que j'ai eu un petit accident. Il va y avoir une tempête, là, ils vont fermer les deux ponts. Dis-leur que je suis pris sur la rive sud.

Ben alors, invente quelque chose de ton cru, merde !

Non, non, c'est pas mentir, ça, tu sais pas c'est quoi, mentir. Moi, je le sais, pis c'est pas ça, mentir. Ça, c'est juste un petit mensonge de dépannage !

Je sais pas comment ça s'est passé. J'étais en train de déménager une grosse étagère que mon frère avait installée dans notre chambre, quand on était petits, pour diviser la chambre en deux, parce qu'il voulait pas que j'aille fouiller dans ses affaires. Ma mère appelait ça « le mur de la honte » ! Alors imagine-toi la situation : je suis dans un ascenseur au 17e étage d'un foyer pour vieillards avec « le mur de la honte » qui m'empêche d'aller faire la météo !

Oui, oui, je vais laisser mon cellulaire allumé, tu me rappelleras pour me dire comment ils ont pris la chose.

Non, je serai pas de retour avant dix-neuf heures. Qui va être là ?

Vous commencerez le repas sans moi. Bye !

Il retire son manteau, le plie, le dépose par terre et s'assoit dessus, en tailleur, face à l'étagère. Il fait mine d'allumer une télé. Bande sonore d'une émission pour enfants des années soixante. Il regarde la télé un moment puis déplace des choses sur la tablette du milieu, se glisse à travers l'étagère et passe de l'autre côté de la chambre. Il met un disque. Musique. Il joue d'une guitare basse imaginaire. Il allume un joint, fume, s'étouffe. Il extirpe un magazine caché sous la tablette du bas, en arrache la page centrale, la fixe au mur, défait son pantalon et commence à se caresser. Les portes de l'ascenseur s'ouvrent brusquement. André remonte son pantalon, ramasse son manteau, pousse l'étagère et sort. La marionnette de l'astronaute apparaît un moment. Noir.

À mobylette

Robert Lepage – © Sophie Grenier

Philippe, vêtu de son manteau et coiffé d'un casque, place la planche à repasser à l'envers sur le sol. Il installe sa caméra sur un des pieds. Bruit de moteur. Philippe enfourche la mobylette. Sur le mur du fond défilent des images vidéo en négatif du parc des Champs-de-Bataille.

Alors, à défaut de pouvoir vous montrer la campagne environnante, j'ai pensé vous faire visiter le parc des Champs-de-Bataille, qu'on appelle aussi les plaines d'Abraham, question de vous donner une petite idée de ce à quoi ressemble la nature. Le parc des Champs-de-Bataille, comme son nom l'indique, a déjà été un endroit de combats et d'affrontements mais, aujourd'hui, c'est devenu un endroit très paisible. C'est un immense parc au milieu de la ville. C'est le genre d'endroit où vous pouvez emmener votre famille, l'été, pour faire un pique-nique, ou faire voler des cerfs-volants le week-end, ou faire du jogging. Mais moi, je dois vous avouer que je préfère venir ici l'hiver parce qu'il y a pas mal moins de monde, puis aussi parce que les plaines d'Abraham sont un endroit privilégié pour observer les étoiles. Je me souviens très bien de la dernière fois que je suis venu ici. En fait, j'avais quinze ans, c'était le 11 décembre 1972, et la raison pour laquelle je me souviens de la date si précisément, c'est que c'était le soir où Apollo 17 s'était posé sur la Lune. Comme c'était la dernière mission Apollo, le public avait l'impression d'avoir déjà tout vu, donc, même les grandes chaînes de télévision américaines ne diffusaient plus les images.

Il stoppe la mobylette et en descend. Les images vidéo et le bruit du moteur s'arrêtent.
Philippe regarde vers le ciel.

Alors la meilleure chose à faire, c'était d'éteindre la télévision et de venir ici, sur les plaines d'Abraham, observer la Lune en silence et essayer de repérer l'endroit exact où la mission s'était posée. Ce soir-là, la Lune était rouge. Et comme c'était l'époque où j'expérimentais beaucoup avec le LSD, j'étais convaincu que c'était parce qu'elle saignait ! Je me disais que c'était probablement tous les drapeaux américains qui avaient été plantés par les dernières missions qui la faisaient saigner comme ça. Je me disais que si la Lune était capable de saigner, c'est qu'il existait peut-être une espèce de lien de sang ou de lien de famille entre la Lune et tous les éléments qui composent l'univers. Et je me suis interrogé sur mon propre lien de sang avec le reste du cosmos. Je me souviens que c'est à ce moment précis que j'ai pris conscience que j'étais fait de la même matière que les étoiles que je pouvais voir briller dans la nuit, que chaque atome de mon corps faisait partie d'un système pas mal plus complexe et pas mal plus vaste. Comme si j'avais un rôle à jouer dans l'univers, comme si j'étais moi-même une petite idée à l'intérieur d'un immense cerveau. C'était une constatation tellement vertigineuse que j'ai eu soudainement très peur et que j'ai décidé de retourner à la maison où les liens de sang et les liens de famille sont plus faciles à mesurer et à comprendre.

Des images psychédéliques apparaissent sur le mur, de chaque côté de la grande étagère.

Une fois arrivé à la maison, j'ai trouvé mon frère qui dormait sur mon lit, dans ma moitié de chambre. C'était évident qu'il avait fouillé dans mes affaires. Il y avait de la cendre partout, des canettes de bière vides sur l'étagère. Il était même pas encore adolescent et il était complètement saoul. Mon frère et moi, on a sept ans de différence. Aujourd'hui, ça veut plus rien dire, mais à l'époque, c'était comme si plusieurs générations nous avaient séparés. Il faisait très froid dans la chambre.

Philippe passe de son côté de la chambre.

Quand je me suis approché de lui, j'ai réalisé qu'il avait fait pipi dans son pantalon et j'ai eu tout à coup très peur qu'il attrape froid. Je l'ai pris dans mes bras. Il était tellement petit, comme un petit animal humide. Et là, il s'est passé une chose terrible. Dans mon délire, je me suis mis à le trimballer partout dans la maison pour essayer de trouver un coin assez chaud pour pouvoir l'assécher.

Musique. Philippe se dirige vers le hublot, l'ouvre et dépose son petit frère dans la sécheuse qui se met à tourner dans la lumière d'un stroboscope. Noir.
Son et projection d'images d'archives de l'Agence spatiale russe du lancement de la sonde Luna 15, et projection du surtitre : 1969, Luna 15. Les Soviétiques envoient une sonde sur la surface lunaire, mais échouent dans leur tentative de la ramener sur Terre.

Éclipse

Philippe, en peignoir, est debout devant le téléviseur, un livre à la main. À côté de lui, le fauteuil roulant de sa mère.

Si jamais, un jour, vous captez mon message, il y a de fortes chances que vous ayez déjà capté des centaines de milliers d'heures d'émissions de télévision en provenance de la Terre. Mais sachez que la télévision n'est qu'un miroir déformé de ce qu'est la vie sur Terre. Pour moi, la seule chose vraiment capable de dépeindre avec justesse les méandres et les contradictions de l'âme humaine, c'est la poésie. Malheureusement, il n'y a pas beaucoup de place pour la poésie à la télévision, ces temps-ci, alors, j'ai choisi de vous réciter un poème écrit par un de nos plus grands poètes québécois de la période romantique. Il s'appelait Émile Nelligan et le poème s'intitule « Devant deux portraits de ma mère ».

Il lit.

Ma mère, que je l'aime en ce portrait ancien,
Peint aux jours glorieux qu'elle était jeune fille,
Le front couleur de lys et le regard qui brille
Comme un éblouissant miroir vénitien !

Ma mère que voici n'est plus du tout la même ;
Les rides ont creusé le beau marbre frontal ;
Elle a perdu l'éclat du temps sentimental
Où son hymen chanta comme un rose poème.

Aujourd'hui, je compare, et j'en suis triste aussi,
Ce front nimbé de joie et ce front de souci,
Soleil d'or, brouillard dense au couchant des années.

Mais mystère de cœur qui ne peut s'éclairer !
Comment puis-je sourire à ces lèvres fanées ?
Au portrait qui sourit, comment puis-je pleurer ?

Noir. On ne voit plus que l'écran lumineux du téléviseur qui semble se déplacer dans l'espace. Lumière. Une vieille dame aux cheveux blancs portant des lunettes noires est assise dans le fauteuil roulant. Noir.

Scan

Le médecin entre, coiffé d'un bonnet blanc, une grande enveloppe à la main qu'il dépose sur la planche à repasser, placée sous le hublot. Projection d'un graphique sur le mur.

Philippe, ma secrétaire a finalement retrouvé la radiographie de ton dernier examen annuel, alors on va pouvoir comparer avec celle de cette année. Étant donné que tu as déjà rempli le questionnaire d'usage, enfile la jaquette d'hôpital, installe-toi sur la table, puis on va passer au scan. Ah, au fait, Philippe, je voulais t'offrir mes condoléances. J'ai su pour ta mère.

Écoute, j'étais pas mal peiné parce que c'est une femme que j'admirais beaucoup. Je pense que c'était une femme très courageuse. Je suis parti en vacances trois semaines, je suis revenu il y a trois jours, puis j'ai rencontré son médecin traitant à la cafétéria. Il m'a dit comment ça c'était terminé. Qu'est-ce que tu veux, c'est mieux comme ça, hein ? Surtout quand ils sont rendus à couper des morceaux, ça prend pas de temps que les patients se découragent, puis habituellement, ils deviennent suicidaires beaucoup plus tôt que ça. Et puis, je pense quand même que ta mère a été exemplaire dans sa souffrance, puis je trouve que son geste désespéré est un geste tout à fait compréhensible vu les circonstances. Et je ne pense pas que personne puisse vraiment la juger dans sa décision…

Oui, c'est ce que j'ai dit.

Philippe, on va pas commencer à jouer sur les mots, je veux dire, on va appeler un chat un chat, puis un chien un chien... Selon son médecin personnel, elle semblait vivre dans un environnement contrôlé, donc ça peut juste avoir été un geste délibéré, tu crois pas ? Est-ce que tu as parlé avec son médecin lors du décès ?

Bon, puis qu'est-ce qu'il t'a dit ?

Oui, mais sur un acte de décès, Philippe, on écrit les causes physiologiques, on va pas commencer à écrire des détails du genre « la patiente a mis fin à ses jours à l'aide d'un grand verre d'eau » ! Faut avoir une certaine cohérence. On essaie d'être discret, on discute avec la famille, et on espère que la famille va poser les bonnes questions. Je comprends pas pourquoi c'est moi qui ai cette conversation-là avec toi, alors que tu aurais dû parler de ça avec son médecin il y a longtemps ! Je suis désolé de te mettre dans un état pareil, Philippe.

Ben oui, mais attrape le téléphone puis prends rendez-vous avec lui, parce que ça peut pas rester comme ça ! Il va probablement être à la clinique cet après-midi, alors, si tu veux, on pourrait remettre l'examen à plus tard. De toute façon, je viens de revenir de vacances, ça me donnerait une chance d'arriver !

Tu veux passer l'examen quand même ?

OK, c'est toi qui décides, hein, c'est à toi, les oreilles ! Alors, enfile la jaquette, installe-toi sur la table, puis on va procéder au scan. Et cette fois-ci, Philippe, veux-tu, s'il te plaît, ne pas oublier d'enlever tes lunettes avant de mettre ta tête dans l'appareil !

Il retire son bonnet et son sarrau, sous lequel il porte une « jaquette » d'hôpital bleue. Philippe s'étend sur la planche à repasser. Projection en direct d'un gros plan de son visage, superposé à des images de films de famille où l'on voit Philippe enfant pendant la fête de Noël. Musique. Philippe pleure. Puis il se redresse et remet ses lunettes.

Est-ce que je peux me rhabiller ?

Merci. Docteur, je voulais vous demander. Est-ce que c'est vrai que c'est dangereux de prendre l'avion quand on a déjà été opéré au cerveau ?

Je sais pas si c'est du folklore, c'est un reportage que j'ai vu à la télévision, l'autre jour. C'est un groupe de spécialistes qui disaient que, si on a déjà subi une intervention chirurgicale à la tête et qu'on se retrouve dans un endroit pressurisé, il y a des vaisseaux sanguins qui peuvent éclater.

Oui, j'ai à me déplacer en dehors du pays dans deux semaines.

Je vais à Moscou.

Non, c'est pas des vacances. Vous savez la thèse que j'étais en train d'écrire ? J'en ai envoyé une copie à un cosmonaute russe qui devait m'écrire une lettre de recommandation, pis, bon, j'en ai pas entendu parler pendant des semaines, pis il semble qu'il m'ait référé à l'Institut Tsiolkovski. Ils font une espèce de grande conférence internationale, pis ils m'ont invité à prendre la parole. J'ai jamais mis les pieds dans un avion, pis là je m'en vais à Moscou ! C'est tout un baptême de l'air !

Non, j'essaie pas de trouver un prétexte pour pas y aller, docteur. Je m'informe, c'est tout.

Merci.

Il s'apprête à sortir, puis se retourne. Il est ému.

Docteur, vous êtes sûr de ce que vous dites à propos de ma mère ?

Son et projection d'images d'archives de l'Agence spatiale russe des astronautes Stafford et Leonov se serrant la main dans l'espace, et projection du surtitre : 1975, Apollo-Soyouz. La course vers la Lune terminée, Soviétiques et Américains se serrent la main dans l'espace.

Aeroflot

Les chaises sont regroupées et placées en rangs, de façon à figurer la cabine d'un avion. Projection d'images représentant les consignes de sécurité. Philippe est assis près du hublot, regardant le carton où les consignes sont illustrées. Son de l'extinction de la consigne des ceintures de sécurité. Philippe s'étend sur les sièges. La Lune passe devant le hublot. Puis, apparaît le petit cosmonaute, qui ouvre le hublot. Philippe se redresse, prend le cosmonaute par la main et disparaît avec lui par l'ouverture.

Salle de conférence

Les panneaux s'ouvrent sur un grand rideau rouge, devant lequel sont toujours placées les quelques rangées de chaises. Philippe se glisse par l'ouverture du rideau, des papiers à la main. Il regarde l'horloge, puis sa montre. Il chiffonne avec humeur les feuilles de papier puis va se placer devant le micro.

Excusez mon retard... Je dois vous avouer que je me sens un peu soulagé que vous ayez décidé de ne pas m'attendre, parce qu'à parler franchement, je sais pas comment j'aurais fait pour trouver le courage de venir vous adresser la parole. Voyez-vous, je suis une personne assez timide, donc j'ai plutôt l'habitude d'entendre l'écho de ma propre voix dans des salles vides comme celle-ci ! Mais tout de même, j'imagine que c'était enfin ma chance d'exposer mes idées à un public intéressé et intelligent, et surtout de manifester toute mon admiration pour Konstantin Tsiolkovski, avec qui je partage l'opinion qu'ici, sur terre, on vit tous nos vies comme des poissons dans un bocal ! On se déplace de long en large avec cette absurde illusion que, tous les jours, on découvre de nouveaux horizons alors que tout ce qu'on fait, c'est tourner en rond. Et quand on ose regarder vers le ciel, on s'attend à ce qu'il nous renvoie notre propre image ! Ce ne sont là que quelques-unes des raisons pour lesquelles il faudrait construire l'ascenseur de l'espace de Konstantin Tsiolkovski, et comme je sais qu'il n'existe pas présentement sur terre de matériaux assez solides pour supporter une telle charge, j'allais proposer qu'on le construise sur la Lune, là où la force gravitationnelle équivaut au sixième de celle de la Terre. Et surtout, j'allais proposer qu'on le construise sur la face cachée de la Lune, là où c'est pratiquement impossible de voir la Terre. De cette façon, on serait obligés d'arrêter de se regarder le nombril. Et on serait forcés de se contempler dans le vide et de faire l'expérience d'un ultime vertige. Un vertige comparable à celui qu'on éprouve quand on a perdu ses parents et qu'on découvre que, sans le vouloir, ils nous cachaient la vue et nous empêchaient de voir l'horizon ! Je vous remercie beaucoup.

Musique. Philippe sort par l'ouverture du rideau. Noir.

Chez Philippe

Projection dans le hublot de l'image vidéo du poisson rouge dans son bocal. L'eau baisse peu à peu, et le poisson se retrouve inanimé au fond du bocal. Lumière sur la petite table sur laquelle est posé le téléphone. André entre, quelques enveloppes à la main. Il remarque de l'eau par terre, puis aperçoit le poisson. Il saisit le combiné et compose un numéro.

Oui, salut Carl. Excuse-moi de te déranger, je sais que t'aimes pas ça quand je t'appelle au bureau, mais écoute, il faut que tu m'aides, mon gars !

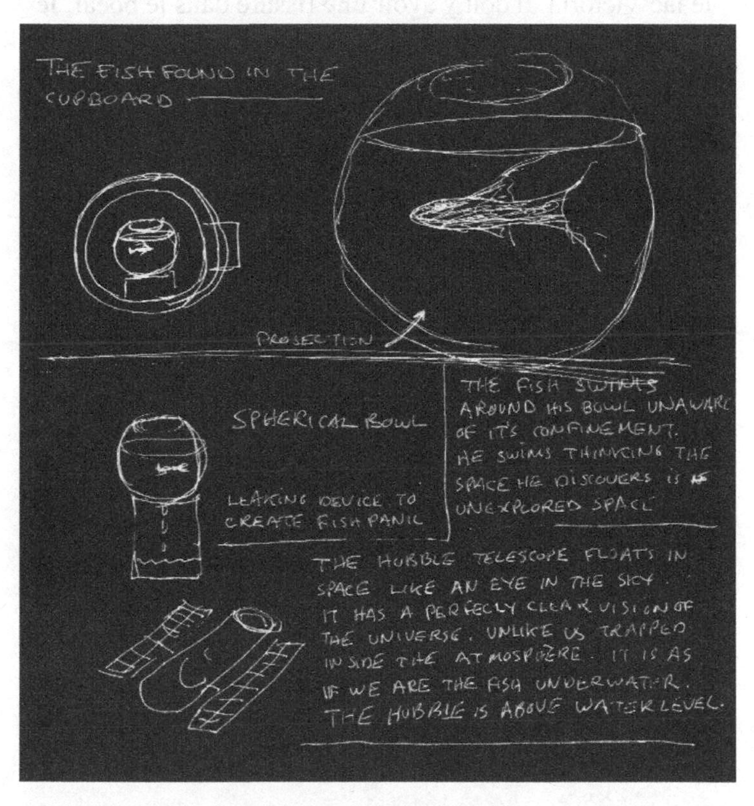

« The fish swims around his bowl unaware of it's confinement. He swims thinking the space he discovers is unexplored space. The hubble telescope floats in space like an eye in the sky. It has a perfectly clear vision of the universe. Unlike us trapped inside the atmosphere. It is as if we are the fish underwater. The hubble is above water level. » – © Archives Robert Lepage

Non, je suis pas à la maison, je suis à l'appartement de Philippe. Je suis venu ramasser le courrier et nourrir le poisson rouge. Ben, imagine-toi donc que le foutu poisson est mort.

Je te le dis, il est mort ! Je suis entré dans l'appartement pis il y a une flaque d'eau par terre, grande comme le lac Victoria. Il doit y avoir une fissure dans le bocal. Je suis venu, il y a deux jours, pis il était plein, pis là, il est vide, pis le poisson est couché sur le côté.

Ben, en revenant du travail, est-ce que tu peux arrêter dans un *pet shop* pis essayer de trouver un poisson rouge qui mesure environ entre quinze et vingt centimètres de long avec la queue ? Puis c'est un poisson qui a été suralimenté, c'est un poisson qui est gras. Explique que c'est un poisson rouge gras de vingt centimètres qui souffre de boulimie.

Ben, pour remplacer celui qui est mort, imbécile ! Qu'est-ce que tu veux que je fasse avec, que je lui fasse le bouche-à-bouche ?

Non, je vais pas lui dire la vérité. Il est incapable de la prendre, la vérité.

Je le sais parce que c'est mon frère ! Écoute, il va me décapiter. Il va m'accuser d'avoir négligé son foutu poisson rouge.

Écoute, j'ai pas besoin de ton sermon sur la montagne, ce matin, alors va me chercher le foutu poisson rouge, puis je m'occupe du reste !

Parce qu'il est non négociable !

Ben, parce qu'il pense que je suis un trou du cul.

Qu'est-ce que t'as dit ?

Non, ce que t'as dit juste avant ? Quand j'ai dit qu'il pensait que j'étais un trou du cul, t'as eu comme un petit borborygme, là, un petit marmonnement...

Oui, mais toi, est-ce que c'est ça que tu penses ? Non, mais tu veux jouer à monsieur vérité, alors vas-y, c'est ça que tu penses ?

Ah oui ? Et ta sœur, elle ? Ta soeur, elle bat le beurre ? Ben, quand elle battra la merde, tu lécheras le bâton, mon gars !

Il raccroche brusquement. Le téléphone sonne.

Écoute, si tu penses que je vais me laisser parler sur ce ton, tu te trompes !

Ah, Philippe ?

Non, je pensais que c'était Carl. Il vient de téléphoner pis je pensais que c'était lui qui rappelait.

Non, non, tout est sous contrôle. T'es encore à Moscou ?

Peux-tu me rappeler demain ? Je peux pas te parler, là, j'ai pas le temps de te parler.

Non, non, j'ai un taxi qui m'attend en bas.

Philippe, rappelle-moi demain. Je te parlerai demain matin.

Oui, t'as reçu trois enveloppes. Je les ai mises sous le téléphone comme convenu.

Ben, il va bien ! Euh... il a son air un peu étonné, là, mais il va bien.

Bon, écoute, Philippe. Philippe... Je sais pas comment te dire ça, là, mais... Beethoven est mort.

Non, pas le compositeur, le poisson rouge de maman.

Il est mort pis je le sais pas, ce qui s'est passé ! Pis avant que tu dises quoi que ce soit, laisse-moi parler ! Je suis entré dans ton appartement pis il y avait une flaque d'eau par terre, grande comme l'océan Pacifique pis je le sais pas, ce qui s'est passé, pis le poisson est mort, pis c'est pas de ma criss de faute, OK ? C'est pas de ma foutue faute ! Pis je trouve que tu devrais apprécier mon courage pis mon honnêteté, parce qu'au moins je te dis la vérité ! Parce que j'aurais pu être vraiment *cheap,* OK ? J'aurais pu vraiment être bas. J'aurais pu aller dans un *pet shop,* pis j'aurais pu aller chercher un criss de poisson rouge pour le remplacer, puis tu t'en serais jamais rendu compte ! Pis je sais que tu vas me dire que c'est la dernière chose vivante qui appartenait à maman. Ben imagine-toi donc que, maintenant, c'est moi la dernière chose vivante qui appartenait à maman, OK ? Pis c'est à toi de t'occuper de moi maintenant, et t'as intérêt à changer ta maudite attitude ! M'entends-tu, Philippe ?

Philippe ? Tu pleures pour vrai ou bien c'est de la *bullshit* ?

Pourquoi tu pleures ? Écoute, tu vas pas pleurer pour un maudit poisson rouge, non ?

Alors pourquoi tu pleures ?

Veux-tu, s'il te plaît, arrêter de pleurer comme un bébé et me dire ce qui se passe ? Écoute mon vieux, tu m'inquiètes ! C'est pas juste, t'es aux antipodes, puis je peux rien faire pour toi. Alors dis-moi ce qui se passe !

Oui, la conférence, comment ça s'est passé ?

Oui, puis ?

Non, ça se peut pas ! Non, dis-moi que c'est pas vrai !

Ben, écoute, c'est formidable ! J'ai jamais entendu parler d'une telle déveine. Écoute, j'en reviens pas ! T'as vraiment une aura de merde !

Ben, je sais pas ce que tu peux faire. T'es à Moscou, va au cirque et demande qu'ils t'engagent comme clown parce que c'est un vrai numéro, ton affaire ! Tu pouvais pas changer l'heure en descendant de l'avion ?

Il y avait personne à l'hôtel qui pouvait te faire un *wake up call* ?

Ben, là, fais avec, mon gars !

Ben, profites-en, t'es à Moscou, va magasiner.

Ben, je le sais qu'il y a rien à acheter, qu'est-ce que tu veux que je te dise d'autre ? Quand il pleut du vinaigre, on fait de la vinaigrette !

Veux-tu arrêter ça, y en aura d'autres foutues conférences. Je te le dis, moi.

Ben oui, il y en aura d'autres. Parce que t'es un type intelligent, t'as des idées intéressantes, moi, je les comprends pas toujours, mais il y a des gens pour ça.

Oui, mais, la preuve, c'est qu'il y a des gens qui t'ont invité ! Bon puis, il y en aura d'autres conférences. Ça, c'est la première d'une longue série de conférences.

Ben, c'est la seule façon de voir ça, mon gars ! Alors débarrasse-toi de cette énergie de *looser* et accouche mon vieux, accouche !

Oui, je le sais bien, si j'en avais, des nouvelles encourageantes, mais il y en a jamais de nouvelles encourageantes dans ton univers !

Oui, mais, c'est des comptes, le téléphone, puis, bon, Hydro-Québec, tu veux quand même pas savoir ton compte d'électricité en plein hiver? Ça, ça va te remonter le moral !

L'Université Laval ? Oui. C'est une lettre recommandée.

Comment ça, c'est ta réponse ?

Oui, mais pourquoi ils t'envoient ça par la poste ? Ils sont pas censés te rencontrer en personne pour te dire si t'as eu ton acceptation ? Est-ce qu'ils ont peur que tu leur sautes au visage?

Il ouvre l'enveloppe, déplie la lettre et lit.

Écoute, Philippe, je sais pas ce qui se passe, j'arrive pas à ouvrir l'enveloppe...

Non, non… Ben oui ! C'est écrit noir sur blanc, là, t'es refusé !

Philippe, parle-moi !

Ben oui, je compatis, voyons donc, qu'est-ce que tu penses ? C'est pas parce que je fais de la basse pression que j'ai pas de cœur !

L'autre enveloppe ? Écoute, t'es masochiste ou quoi ?

Ben, je sais pas, là, c'est un organisme que je connais pas. Ça vient des États-Unis.

Je le sais parce qu'il y a la tête d'Elvis sur le timbre ! Est-ce que t'as fait une demande d'immigration ?

Ben, écoute, mon vieux, je connais pas toute l'étendue de ton désespoir !

Il ouvre la lettre et lit.

« Cher Monsieur, nous avons le bonheur de vous annoncer que le message vidéo que vous avez produit dans le cadre du projet SETI a été choisi parmi des centaines de propositions et fera partie des dix messages qui seront transcodés et diffusés dans l'espace, dans le but d'être captés un jour par des civilisations extraterrestres »…

Veux-tu ben me dire quelle calice d'affaire que c'est ça ?

Ben oui, mais quand est-ce que t'as fait ça, ce vidéo-là ? Avec quel équipement ?

Non, ça dit: «L'originalité de votre démarche et la qualité de votre propos ont fait l'unanimité de notre jury composé de scientifiques et de cosmologues de réputation internationale. Pourriez-vous nous contacter le plus rapidement possible afin que nous vous expliquions les procédures d'usage pour la mise en orbite de votre message. Dans l'attente d'une réponse hâtive, je demeure, Marie-Madeleine Bonsecours, directrice du Bureau canadien du programme SETI.» Qu'est-ce que ça veut dire, ça, SETI?

Search for quoi? Search for Extra Terrestrial Intelligence? Ben, t'es *cuckoo for cocoa puffs,* mon gars!

Oui, ben, félicitations, mon vieux!

Non, non, c'est sincère, félicitations. Félicitations!

Ben, sur quel ton veux-tu que je te le dise? Merde! Félicitations! Écoute, c'est ton premier vidéo, puis tu remportes un prix!

Oui, mais tu te plains toujours qu'il y a jamais personne pour écouter tes idées, et là, il y a tout le cosmos qui va tendre l'oreille!

Ben, on va fêter ça! Tu reviens quand de Moscou?

À quelle heure t'arrives?

Par Montréal ou par Toronto? Parce que si tu reviens par Montréal, je pourrais aller te chercher en voiture, puis avant de revenir à Québec, on pourrait arrêter dans un restaurant. C'est Aeroflot que tu prends?

Ben, tu vas être affamé, mon gars !

Ben, je sais pas, il y a un nouveau quartier qu'ils sont en train de construire, là, tu sais, le truc multimédia avec plein de boutiques puis de restaurants branchés ?

Ben, on serait mieux d'y aller maintenant parce que dans six mois, ça va tout être fermé !

Qu'est-ce que t'aimerais manger ?

Mais comment veux-tu que je réserve dans un bon restaurant si tu me dis pas ce que tu veux manger ?

Non, non, c'est toi qu'on fête, c'est toi qui décides. Vas-y, qu'est-ce que t'aimerais manger ?

Il jette un regard au bocal.

Des sushis, ça te plairait ?

Aéroport

Musique. Philippe est assis sur une des chaises, qui sont alignées contre le mur. Puis, il roule doucement sur le sol. Son image se reflète dans les miroirs placés au-dessus de lui. Il effectue un enchaînement de mouvements au ralenti, donnant l'impression qu'il se meut dans un état d'apesanteur.

FIN

Scène du film – © La Face Cachée de la Lune Inc.

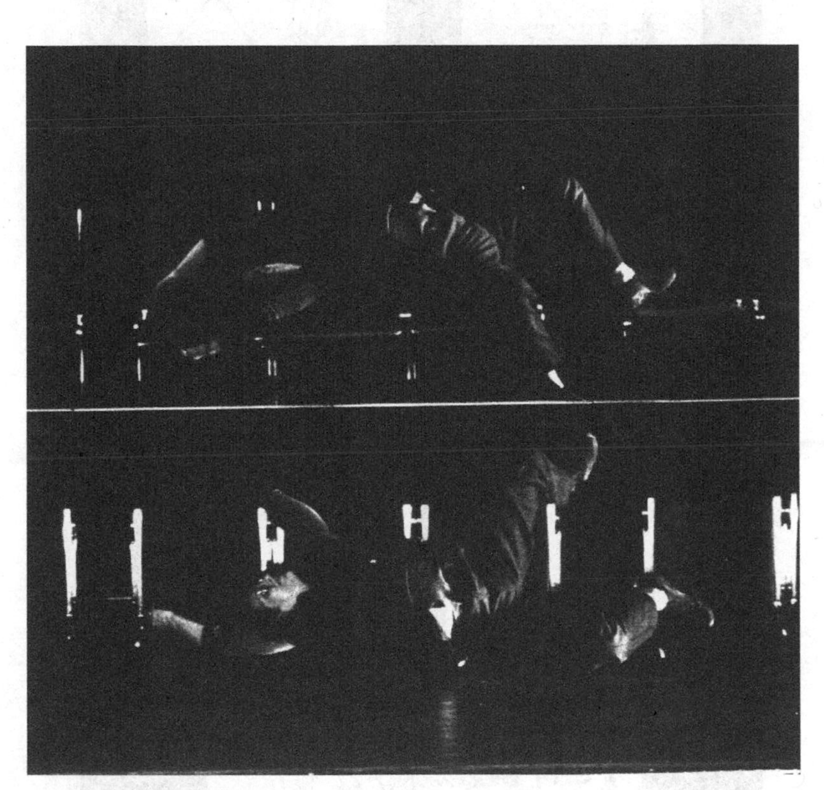

Robert Lepage – © Sophie Grenier

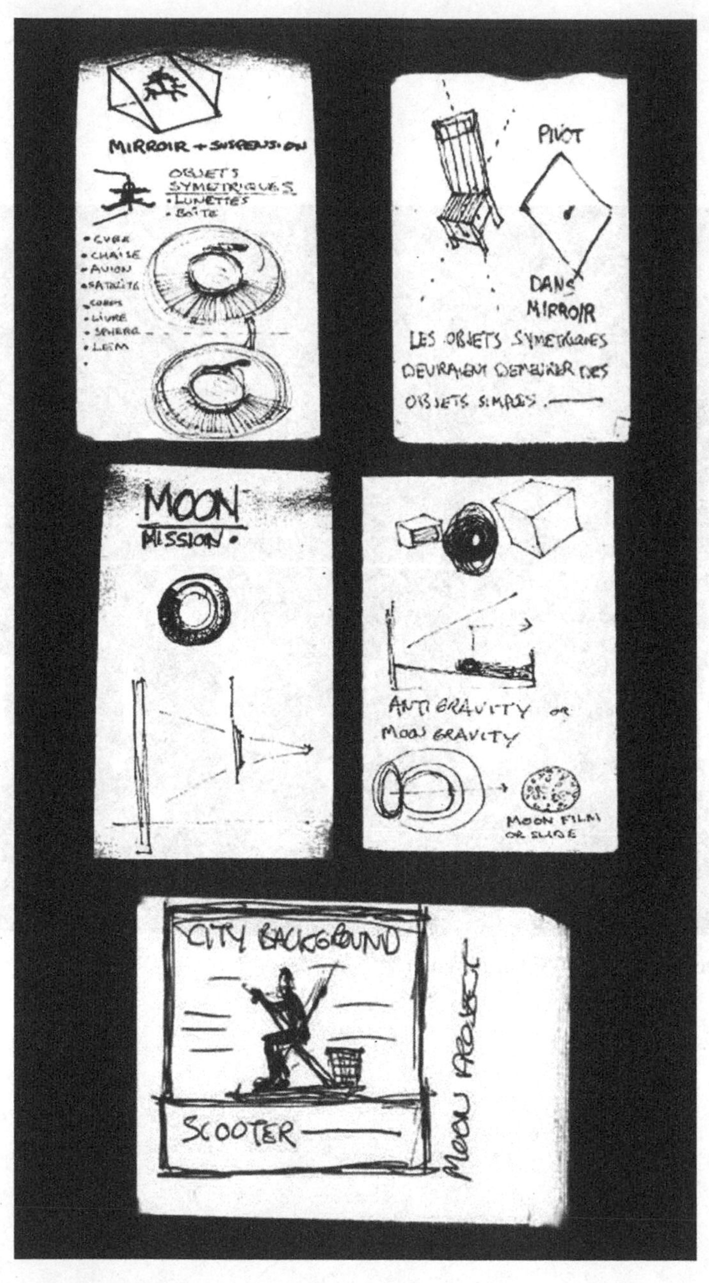

© Archives Robert Lepage

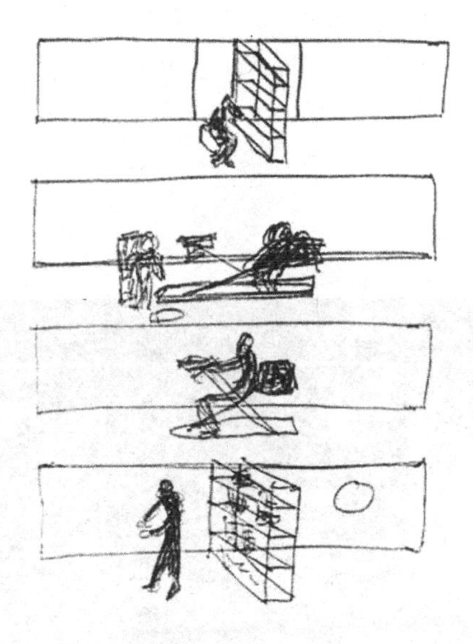

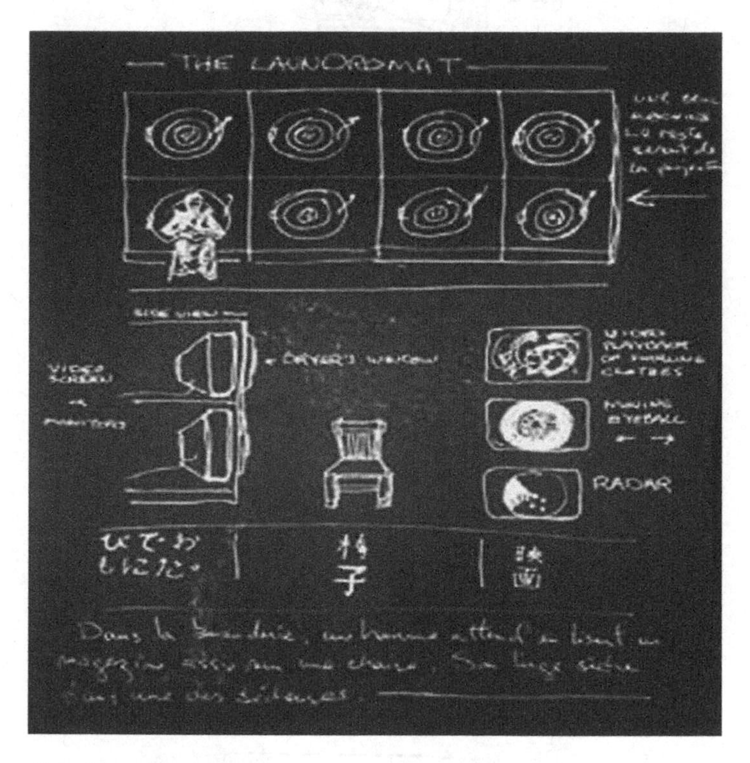
THE LAUNDROMAT
DRYER'S WINDOW
RADAR
ひでお
もにた
椅子
映画

ACHEVÉ D'IMPRIMER
SUR LES PRESSES DE MARQUIS IMPRIMEUR INC.
SUR PAPIER SILVA ENVIRO
100 % POSTCONSOMMATION

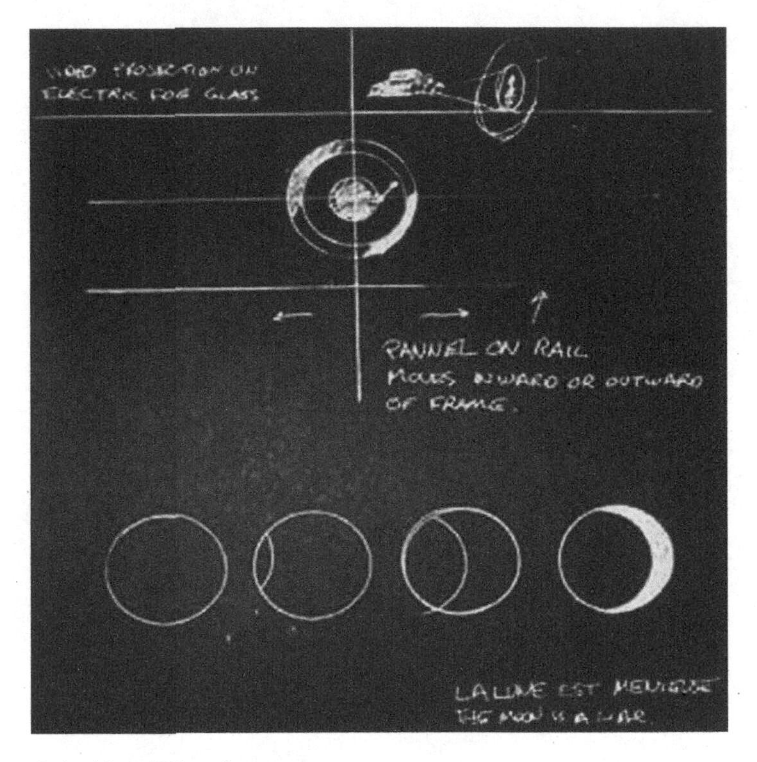
PANNEL ON RAIL
MOVES INWARD OR OUTWARD
OF FRAME.
LA LUNE EST MENTEUSE